新潮文庫

流れ星が消えないうちに

橋本　紡著

新潮社版

8469

流れ星が消えないうちに

目　次

★

第一章
お父さんの家出
7

第二章
流れ星マシンとプラネタリウム
38

第三章
彼と父親
77

第四章
シュート
127

第五章
妹、怒る
170

第六章
復讐ノックダウン
232

第七章
星に願いを
296

解　説
重松 清

流れ星が消えないうちに

第一章　お父さんの家出

半年前から、玄関で寝ている。

いわゆる郊外ベッドタウンにある我が家はそれなりに余裕を持った造りで、三和土《たたき》を上がったところに、玄関ホールとはとても呼べないものの、シングル布団《ぶとん》ならどうにか敷けるくらいの空間がある。もちろんそこは寝るための場所ではないけれど、わたしはずっと布団を敷きっぱなしにしていた。

毎晩毎晩、わたしはその布団に潜り込む。

玄関ドアの上の、天井に近い部分は、磨《す》りガラスが塡《は》め込まれていた。築二十年くらいの家によく使われている、雪の結晶みたいな模様が入った磨りガラスだ。そのため、家の前にある街灯の光が、わたしの寝ている場所にまで差し込んでくる。壁紙が剝《は》がれかかった壁や、そばにある階段や、角が擦れて丸くなった靴箱なんかが、うっすらと光に浮かび上がる。月の明るい夜などは、それらはさらに幻想的な雰囲気を漂わせ、ただの玄関なのに、まるで異世界のように思えたりもする。その瞬間、心がふっと軽くなる。そして普通に息ができるようになる。普段はなかなか肺に呼び込めない空気がちゃんと入ってくる。

どうして玄関でしか眠れないのだろう？

何度かそんなことを考えてみたけれど、答えらしきものにたどりついたことは一度もなかった。まあ、答えなんてどうでもいいのだ。眠れれば、それでいい。とにかく眠りさえすれば、真新しい次の日がやってくるのだから。

玄関に敷いた布団に潜り込んだあと、しばらく天井やら靴箱やら、きらきらと安っぽく光る磨りガラスの模様やらを、わたしは眺める。やがて心がすうっと静まり、深い水底に沈んだような感覚が訪れる。わたしは、ゆっくり目を閉じる。布団を顔の辺りまで引き寄せる。体を丸める。うとうとし始めたころ、もうこの世にいない恋人の名を口にする。

おやすみ加地君、と。

お父さんが家出してきたのは、そんなふうに玄関で寝てるころだった。

その日、わたしは巧君と会っていたせいで、すっかり帰りが遅くなった。お酒に、それ以外のなにかに酔ったわたしは、家までの道をふらふらと揺れながら歩いた。冬の夜道を歩くのは、わりと好きだった。いろんなことを考えられるから。巧君の声を、手を、気持ちを、何度も何度も思い返した。そのたびに、何度も何度も微笑《ほほえ》んでいた。時々、笑っている自分が不思議に思えた。一年半前、もう自分は二度と笑えないのではないかと思っていたのに。心はまるで冷えた蠟《ろう》のように固まり、熱く溶けることは決してないのだと。

けれど、いつからか、わたしは笑うようになった。

顔を上げると、月が目に入ってきた。右側が半分欠けた月だ。ほんの少し前、あの月はまん丸だった。時はそうして流れていく。気持ちも、月も、時間という絶対的なものに押し流されながら変わってしまう。

駅から十五分ほど歩いてたどりついたのは、築二十三年の一戸建てだ。もうすぐ二十一歳になるわたしより、三つ年上。いちおうちゃんと手入れしてるので小綺麗《こぎれい》さは保っているものの、昨年建て直したお隣さんちに比べるとやっぱりみすぼらしい。この全然おしゃれじゃない古い一戸建てに、わたしはひとりきりで住んでいる。

バッグの中に手を入れ、鍵《かぎ》を探しながら玄関に近づいたところ、うずくまる影があった。玄関にもたれかかっている。びっくりして足がとまった。痴漢かと思った。と同時に、影がわたしの方を向いた。

「おう、奈緒子《なおこ》」

「え？　お父さん？」

びっくりした。

闇《やみ》の中にのっそり立ち上がった姿は、なんとお父さんだった。

「なに？　どうしたの？」

尋ねたいことがたくさんありすぎて、そんな言葉しか出てこなかった。どうしてここにいるの？　お母さんは？　お父さんだけ？　なぜ玄関に座り込んでいるの？

「よかったよ、奈緒子が帰ってきて。帰ってこなかったらどうしようかと思ってたんだ。自分の家の前で凍死なんて洒落《しやれ》にならないからな。それにしても、帰り、遅いんだな」

お父さんは問いには答えず、そんなふうに言った。責められてるのかと思ったものの、そういうわけではなさそうだ。お父さんの声は穏やかだった。

「友達と会ってたから」

まあ、本当は彼氏だけど。

「鍵を開けてくれないか。中で休みたいんだ」

「あ、うん」

バッグの中を探すが、なかなか鍵が見つからない。巧君に貰《もら》ったペンギンのマスコットがついた鍵。さりげなく様子を窺《うかが》うと、お父さんは家を見上げていた。

「家、こんなに古かったかな」

「古いよ。だってわたしより年上だよ」

「そうだよな」

お父さんは繰り返した。そうだよな。古いよな。吐き出された瞬間に白く凍りつく声が、なぜか寂しそうだった。おまえが生まれる三年前に買ったんだものな。

「奈緒子、おまえ、飲んでるのか」

「少しだけ」

「そうか。奈緒子も大人だからな。そうか。おまえも酒を飲むのか。そうかそうか」

「お酒くらい飲むよ」

やけに感心してるので、つい笑ってしまった。

「ちゃんと二十歳《はたち》になってるし」

「娘が大人になるのって不思議なもんだな」

お父さんは笑った。それでわたしの覚えているいつものお父さんが戻ってきた。ああ、ここにいるのは確かにお父さんだ。

ようやく鍵が見つかった。鍵穴に差し入れてまわすと、ガコンという音がした。古いせいでドアの立てつけが悪く、たまに引っかかるような感じになってしまうのだけれど、今日はあっさり開いた。

あ、まずい、と思った。

どうするべきか考えることもできず凍りついたままでいると、わたしの脇《わき》をひょいと抜けて、お父さんの大きな体が玄関に入っていった。さすがに忘れていないらしく、お父さんはスイッチをすぐに探り当て、明かりをつけた。

お父さんの大きな背中。

灰色のコート。

その向こうに、布団があった。

「あれ、なんだ」

お父さんが振り返った。

「どうしてこんなところに布団が敷いてあるんだ」

うん。ええと。言葉が形にならない。その。だから。結局言葉を形にしないまま、お父さんを追い越して、布団をどかどか踏みながら、奥のリビングへ向かった。しまった。お父さんが帰ってくるんなら、布団を片付けておくべきだった。だけど、そんなのわかるわけないし。

言い訳を考えつつ、エアコンのスイッチを入れ、コートを脱いだころ、お父さんもリビングにやってきた。

「なんだか懐《なつ》かしいな」

リビングを見まわし、お父さんは嬉《うれ》しそうに笑った。どうやら玄関の布団にこだわる気はないらしい。

ほっとして、わたしは尋ねた。

「この前来たの、いつだっけ?」

「去年の夏来たか? あれ、来てないか?」

「どうだったっけ。あ、松葉町の花火見たよね。ベランダで」

「見た見た。きれいだったな。ということは夏に来てるな」

「うん、来てる」

「じゃあ、夏以来だ。半年ぶりだな」

お父さんは言って、もう一度リビングを見まわした。まあ、なんてことのないリビングだ。広さは十畳くらいで、当たり前のようにテレビとソファとローテーブルなんかがある。それにしても、この家にお父さんがいるのが不思議に思えた。妙な違和感が漂っていた。家がお父さんを受けつけてない感じだ。たった二年かそこらで、家は人の存在を忘れてしまうものらしい。

「なにか食べるものあるかな」

お父さんもなんだか落ち着かない様子で、立ったまま、きょろきょろしている。

「お腹《なか》減ったの？」

「夕方からなにも食べてないんだ」

「もしかして夕方から待ってたの？」

「ああ、鍵がなくてな」

壁にかかった時計を見る。十時三十分。夕方というのが何時なのかわからないけれど、四、五時間は待っていたことになる。

「ちゃんと持ってきたつもりだったんだが、別の鍵だったんだよ」

「相変わらずだね、お父さん」

懐かしさと呆《あき》れを同時に感じながら、わたしは言った。

お父さんはものすごくいい加減な人だった。聞いたことを片っ端から忘れるし、しょっちゅうものをなくすし、とにかくまったくアテにならない。これでよく仕事が勤まるものだと不思議に思うのだけれど、意外なことにお父さんはそれなりに出世しているらしい。

「駅前で食べてくればよかったのに」

「そのうちおまえが帰ってくると思ったんだよ。それに家でなにか食べたかったんだ。家で食べると、落ち着くからな」

これもまた、お父さんらしかった。お父さんはどんなに遅くなっても、家に帰ると必ず食事をするのだった。そうしないと、帰った気がしないらしい。

わたしはキッチンに行き、冷蔵庫を覗《のぞ》き込んだ。

「冷凍のグラタンくらいしかないよ」

「それでいいぞ」

「じゃあ、待ってて」

グラタンをトースターに入れ、タイマーのつまみを七分のところまでまわす。ジジジと音がして、ヒーターが赤く染まった。指先を暖めたくてトースターに触ってみたけれど、すぐに熱くなるわけがなく、その表面はひんやりと冷たかった。

トースターを覗き込みながら、わたしは尋ねた。

「お父さん、急にどうしたの？　本社に出張？」

「いや——」

リビングにいるお父さんの声はよく聞こえなかった。

「なに。なんて言ったの。聞こえないんだけど」

「家出してきたんだ」

すぐ近くで大きな声がしたので、びっくりした。振り向くと、いつの間にかお父さんがキッチンの中に立っていた。リビングの明かりを背負っているせいで、表情がよく見えない。輪郭のぼんやりした影が、わたしの足下まで伸びてきていた。

「え？　家出？」

聞き返したものの、実のところ自分がなにを言っているのか、わたしは理解していなかった。ただお父さんの言葉を繰り返しただけだった。

「ああ」

肯《うなず》き、お父さんはゆっくりと同じ言葉を口にした。

「お父さん、家出してきたんだ」

わたしがひとりきりで住む家は、山手線のターミナル駅まで急行で二十分という典型的なベッドタウンにある。駅からはわりと遠く、徒歩十五分というところ。まとめて開発された住宅地なので、周りにあるのは似たようなデザインの家ばかりだった。同じような家が、同じように古びつつある。

高校のころまで、わたしは家族と一緒に、この家に住んでいた。わたしと、三つ年下の妹と、お父さんと、お母さんの、四人家族だ。メーカーで技術職をしているお父さんに、佐賀工場への転勤話が来たのは、二年前のことだった。

お父さんもお母さんも、その話をひどく喜んだ。

佐賀には先端技術を注ぎ込んだ工場があって、そこへの転勤というのは、技術者であるお父さんにとっては望むところだったらしい。当たり前のように、お母さんはお父さんについていくことになった。そのころ中三で受験準備を進めていた妹の絵里はこの家に残りたいと言い張ったものの、「家族はできるかぎり一緒に暮らすべきだから」というお母さんの宣言によって、問答無用で佐賀の高校へ進学することが決まった。中学生らしくそれなりにスレていた絵里は、お母さんのそういうところを偽善的だと言って嫌っていたっけ。

こちらに残ったのは、わたしだけだった。

わたしは都内の大学に進学することがすでに決まっていたため、妹と違って、お父さんもお母さんもわたしがこの家で暮らしていくことを受け入れてくれた。大学生になるのだから、独り暮らしもいいだろうということだったらしい。

そうして、わたしが大学に入ったばかりの春、両親と妹は佐賀へ旅立っていった。

いくら血の繋《つな》がった家族でも、一緒に暮らしていないと、いろんなものが離れてしまうものだ。最初は一日置きにかけたりかかったりしてきた電話も、数カ月たったころにはめっきり回数が減った。大学生活と初めての独り暮らしに浮かれていたわたしはかけなかったし、新生活に追われているお母さんもかけてこなかった。もともとお父さんもお母さんも九州の出身で、工場の近くには親戚《しんせき》が多く、懐かしい田舎生活を楽しんでいるようだった。


グラタンで夕食をすませたお父さんは、すぐ二階の寝室に行き、寝てしまった。よほど疲れていたらしい。普段は疲れ知らずのお父さんが、あんなにくたびれた様子を見せるのは珍しいことだった。外で夕食を摂《と》ってきたわたしは、お父さんが食事をしているあいだ、ぼんやりテレビを観《み》ていた。

家出って、どういうことなのだろう？

テレビの内容はまったく頭に入ってこなくて、ただそんなことばかり考えていた。なのに、お父さんに事情を尋ねることはできなかった。もともとそうだったけれど、一年以上離れて住むあいだに、お父さんは以前よりもさらに遠い存在になってしまっていた。

お父さんが寝たあと、佐賀の家に電話をかけた。

四回目の呼び出し音で、絵里が出た。

「はい、本山です」

十七歳とは思えない立派な応対だ。口調もしっかりしていて、わたしより大人みたいだった。

「わたし。奈緒子」

「あ、ちょっと待って」

声の調子が変わった。家族用の、つまり普段の声だった。十七歳の妹に戻っていた。

いきなり電話が保留になった。そのまま、しばらく放っておかれる。『エリーゼのために』が呑気《のんき》に流れるばかり。同じメロディを三回くらい繰り返し聴いたところで、ふたたび絵里の声が受話器から響いてきた。

「大丈夫、話せるよ」

「声、遠くなったね。子機？」

「うん、リビングはお母さんがいるから」

「絵里はどこにいるの？」

「わたしの部屋だよ。友達からだって言って、部屋に来た」

これはやっぱりただごとじゃないな、と確信した。

「お父さん、こっちに来てるんだけど」

「知ってる」

「どうしたの？」

「さあ」

「さあって……」

「わからないんだよね。でも、お母さんとなにかあったみたい。お母さん、すごいことになってるよ。目が吊《つ》り上がりっぱなしだもん。ずっとテンパってる。つまんないことで怒鳴るし」

声の調子で、絵里も戸惑っていることがわかった。それに少し呆れてもいるようだ。

「本当になにも知らないの？」

「知らないよ」

いろいろ考えて、一番ありそうなことを言ってみた。

「お父さん、浮気したとか」

「あると思う?」

「どうかな」

姉妹ふたり、揃《そろ》って黙り込んでしまった。お父さんだって男だし、そういうことが起きる可能性も考えられる。けれど、なにか証拠や徴候があるわけではなかった。わかっていることは、ひとつだけだ。

「悪いのはお父さんだよね、きっと」

わたしがそう言うと、絵里も同意した。

「間違いないね。だって、お父さんが出ていったんだから」

「お父さん、家出してきたって言ってたよ」

「家出?」

「うん、家出してきたって」

お父さんが家出かあ。絵里の口調は、信じられないという感じだった。わたしだって信じられない。これはもしかして家庭崩壊の危機という奴《やつ》なのだろうかと考えてみたけれど、ぴんと来なかった。どうなっちゃうんだろうかと実感がないまま口にすると、どうなっちゃうんだろうねと絵里も実感のない声で呟《つぶや》いた。

たいしたことは話さなかったのに、電話を切ったときにはずいぶん長い時間がたっていて、時計を見ると十二時を過ぎていた。頭の奥の方に、どんよりと重い眠気があった。手早く洗顔をすませ、歯を磨き、水を一杯飲んでから、わたしは玄関に向かった。

三和土《たたき》を上がったすぐそこに、布団《ふとん》が敷いてある。

それは、わたしの布団だった。


部屋で眠れなくなったのは半年前、つまり加地君が死んで一年近くたってからだった。ひとりきりで住む一戸建てはやたらと静かで、だからこそ誰かの残していった気配がふいに現れることがあった。家族が九州に行ってしまってから、わたしはよく加地君を家に呼んだ。わたしの部屋で、ふたりきりの時間をたくさん過ごした。初めてキスをしたのも、初めて彼が胸に触れてきたのも、初めての交わりも、すべてわたしの部屋だった。

そのときのことは今もよく覚えている。

見慣れた自分の部屋の、使い慣れたベッドの上で、わたしたちは裸の体を重ねていた。初めてだったわたしはなにがなんだかわからなくて、彼にすべてまかせ、されるがままになっていた。彼が何度も何度も体中にキスをしてくれたり、大丈夫だよと優しい声をかけてくれたりするのがとても嬉《うれ》しかった。男の子を体の中に迎え入れるのを恐れる気持ちがある一方で、実のところ強く望んでもいた。

ゆっくりと、彼は中に入ってきた。思っていたよりも痛くなくて、本当に彼と一緒になっているのか不安になった。けれど、彼がひとたび動き出すと、とんでもない痛みが体の芯《しん》を貫いた。痛い痛い、とわたしは泣きそうな声で言った。目の端に涙が滲《にじ》んだ。ごめん、と彼は謝った。謝ることじゃないのに、それでも謝ってくれた。

「しばらくじっとしてるから」

加地君は低い声で言って、わたしの髪を撫《な》でてくれた。その感触に少し安心し、わたしは目を開いた。見慣れた天井を背景に、加地君の顔があった。もちろん彼は裸で、わたしも裸だった。

「なんだか変な感じ」

急におかしくなって、くすくす笑ってしまった。

加地君もくすくす笑った。

「笑うなよ」

「加地君も笑ってるよ」

「そうだな」

しばらくふたりで笑い続けた。彼が笑うたびに軽い振動が伝わってきて、それでひとつになっていることがはっきりわかった。加地君の背中にまわした手に少し力を込めると、彼が体を倒してきた。

わたしたちは一ミリの隙間《すきま》もなくぴったりとくっつき合った。

手のひらに触れる彼の背中はびっくりするくらい熱く、皮膚の下に強い筋肉の存在を感じた。あらがえないほどの力が、そこに秘められていた。これが男の子なのかとわたしは思った。皮膚も、骨格も、筋肉も……なにもかもがわたしとは違う。まるで別の生き物のようだ。ものすごく大きなものに包まれてる感覚はどうしていいかわからないほど怖かったけれど、ひとたびその強さに身をまかせてしまうと、すぐに陶酔のような場所に落ち込んでいく自分がいた。

忌々《いまいま》しいほど強い欲情は、頂点に達した途端、するりとどこかへと抜けていき、ただひたすら彼を愛《いと》しいという思いが心を埋め尽くした。

たまらなくなって、わたしは彼を抱きしめた。抱きしめられながら、抱きしめていた。耳元に彼の熱い息がかかって、体がじんと痺《しび》れた。その瞬間は痛みもなく、とても気持ちがよかった。体の輪郭が溶けて、加地君と本当にくっついてしまったように思えた。至福なんて言葉はきっと、ああいう瞬間を言うのだろう。

やがて、

「動いていい？」

と彼が尋ねてきた。

どうにか落ち着いてきたわたしは肯いた。

「いいよ」

「ゆっくり動くな」

「うん」

痛かったし、辛《つら》かったけれど、そういったことさえ幸せだった。あのときのわたしは、たぶん世界で一番幸せな女の子だった。そんなのは安っぽい少女の思い込みだと言われれば、まさしくその通りなのだろう。否定するつもりはない。確かに安っぽい思い込みだろう。少女の幻想に過ぎないだろう。それでも、今もはっきりと思う。あのとき、わたしは世界で一番幸せな女の子だったのだと。

この家の、わたしの部屋で、何度も何度も加地君と体を重ねた。そんな日々が当たり前のように続いていくのだと、一年半前のわたしは信じていた。けれど加地君はあっさり死んでしまった。地図を見てもどこにあるのかわからないような外国の小さい島で、その命をなくした。

だからわたしは自分の部屋から逃げた。加地君といろんなことをしたベッドで寝たくなかった。彼の気配だけが残っているベッドにはいたくなかった。

最初は隣にある妹の部屋に逃げ込んだけれど、勝手に妹の部屋を使うのはなんだか申し訳ない気がしてきた。妹はわたしと違って生真面目《きまじめ》な性格で、家族が部屋に入るのを嫌がっていた。たとえばわたしがなにかの置き場所を変えると、さりげなく、けれど律儀《りちぎ》に、それを元の位置に戻すようなタイプなのだ。血の繋がった間柄とはいえ、勝手にベッドを使われたと知ったら、絵里は悲鳴を上げるかもしれない。

やめてよね、お姉ちゃん――。

そんな声が頭に響き、わたしは妹の部屋からも逃げ出した。しかたなく布団をずるずる引きずりながら、納戸《なんど》に使っている二階の北側の四畳半に向かった。タンスと棚のあいだに布団をむりやり押し込み、さらに自分の体も押し込んだ。意外なことに、狭い場所にすっぽり収まっているという感覚は、なかなか悪くなかった。押し入れで寝てしまった子供のころを思い出したりした。ふとタンスの上を見ると、そこに加地君が遺《のこ》していった古い文庫本がいっぱい積んであった。『車輪の下』『トニオ・クレーゲル』『舞姫』『斜陽』『モンテ・クリスト伯』『マノン・レスコー』『やけたトタン屋根の上の猫』――。本好きだった加地君は、古本屋の店先に置かれている五十円コーナーをよく利用していて、ワゴンの右端から適当に買って、適当に読んで、適当にわたしの家に置いていった。だからそれらの本は、裏表紙をめくれば、色の薄い鉛筆で〝¥50〟と書いてあるはずだ。

その本の山を見た瞬間、わたしはいろんなことをはっきりと思い出した。西日がきついわたしの部屋で、夏でもたいして暑がることなく、加地君は古本を読んでいた。壁にもたれかかったり、ベッドに寝転がったりしながら、無心に文字を追い続けた。彼の髪が、頬が、ほっそりした腕が、西日に赤く染まっていた。そんなときの彼は、まるで小さな子供のように見えたものだ。ねえ、とわたしが声をかけても、本がおもしろいときはろくに返事をしてくれなくて、不貞腐《ふてくさ》れたわたしは意地悪にも彼の足をつねったり、揺さぶったり、つついたりした。

「いいところなんだよ」

彼は邪魔そうに言ったものだった。

「もうちょっと読ませてくれよ」

ふうん、とわたしは不満そうに唸《うな》った。本当に気分を害していたわけではない。そうやって彼に甘えてみたかっただけだった。

「拗《す》ねよう。うん。拗ねて口もきかないことにしよう」

わざとらしくそう言ってみると、加地君は生真面目に困った顔をした。

「奈緒子だって、この前『モンテ・クリスト伯』を読んでたときは俺のこと放り出してただろう。ラーメン食いに行こうって言ったのにさ。全然聞いてくれなかった。だから、お互い様。あと五ページで章が終わるから、ちょっと待っててよ」

「うん」

彼の隣に座って、おとなしく待っていた。加地君がページをめくるたびに、さらりさらりと紙が擦れる音がした。それはとても幸せな音だった。隣に男の子がいて、わたしはその人を好きで、ちゃんと大事にしてもらえて、彼は本を読んでいる。早く五ページ読んで欲しいと思う一方で、ずっと読んでいて欲しいという気持ちもあった。

やがて、丁寧に本を閉じると、彼はいきなりわたしを抱きしめてきた。

「読み終わったぞ」

さっきまで本を持っていた指で、わたしの頭を撫でる。髪を優しく滑る指の感触が、とても心地よかった。

「おかえり」

「ただいま」

そんな下らないことを言いながら、わたしたちは子供みたいなキスをした。唇と唇を、そっと合わせるだけのキス。

あの加地君は、もういない。

思い出と。

タンスの上の文庫本の山と。

悲しみと。

せいぜいそんなものだけを遺して、この世から永遠に消え去ってしまった。体を起こし、一番上にあった『車輪の下』をなんとなく手に取ってみた。わたしはあまり海外の本を読まないので、『車輪の下』みたいな有名作品だってよく知らない。適当に開いた途端、葉っぱがパラリと落ちてきた。加地君はよく、栞《しおり》代わりにこういうものを使っていた。銀杏《いちょう》の葉とか、モミジの葉とか、そんなにきれいじゃない雑木の葉とかも。


あるとき、わたしは子供みたいにブランコを勢いよくこいでいた。空中で足を振り出すたびに勢いがついて、ブランコは高く高く空に舞い上がった。空間を昇っていくときはいいのだけれど、頂点に達してしまったあと、背中から空間を落ちていくあのヒュウッという感じがわたしはあまり好きではなかった。心の深いところが震えてしまうのだ。怖いわけではなく、むしろ心細いという言葉に近いなにかだった。それでわたしはこぐのをやめたのだけれど、ブランコの勢いはなかなか衰えず、いつまでもひたすら揺れ続けた。ブランコがとまるのを待ちながら、加地君の姿を探した。彼は少し離れたベンチに腰かけ、本を読んでいた。

「加地君！」

名を呼ぶと、彼は「ん？」という感じで顔を上げて、手を振った。わたしはブランコの鎖から手を離すのが怖くて振れなかった。振りたかったんだ、本当は。すごく振りたかった。でも振れなかった。やがてブランコの勢いが衰えると、わたしはひょいと飛び降りた。そして加地君のそばに早足で近づいていった。

「そろそろ行こう。もう六時半だよ」

わたしは言った。七時から加地君の友達が出てるという舞台が始まるのだ。ちょっと早く着いてしまったので、近くの公園で時間を潰《つぶ》していたのだった。

「そうか、行かなきゃな」

穏やかに言って、加地君は辺りを見まわした。栞になる葉っぱを探していたのだ。わたしが先に見つけた。なんという木の葉っぱかわからないけれど、ローリエみたいな色と形をしていた。そのローリエみたいな葉っぱを拾って渡すと、彼は丁寧にありがとうと言って受け取った。加地君は妙に礼儀正しいところがあって、恋人のわたしにもよくそういう口のきき方をした。

「ありがとう」

「今日は楽しかったです」

「ごめんなさい」

他人行儀に響きそうな言葉なのに、全然そんなことはなくて、むしろ大切にされている自分を感じたものだった。あのときも、加地君はとても丁寧に言ったのだ。ありがとう、と。

埃《ほこり》っぽい納戸で寝転んでいるわたしの顔に落ちてきたのは、ローリエに似た葉っぱだった。わたしが見つけた葉っぱだった。ありがとう。加地君の声が聞こえた。ありがとう。加地君の顔が浮かんだ。ありがとう。彼はそう言って笑った。震える手で、ローリエに似た葉っぱを本に戻し、四畳半の納戸から逃げ出した。壊れる。布団《ふとん》をずるずる引っ張りながら、そう思った。このままでは、わたしは壊れてしまう。

どうして思い出はこんなにも強いのだろう……なんでもない、当たり前の日々が、なぜ強く強く残っているのだろう……。

リビングで寝るしかないと思い、布団を引きずって階下に向かった。しかし階段を下りてすぐの玄関で力尽きた。もう動けないと思った。なぜだか、体中のエネルギーが尽きてしまったようだった。『車輪の下』。ローリエに似た葉っぱ。ありがとう。笑顔。揺れるブランコ。振れなかった手。布団をいい加減に放り出し、わたしはその上に寝転がった。

そして、あっという間に、眠りに落ちていた。

加地君が死んでしまってから、わたしはあまり眠れなかった。いや、眠ることはできるのだけれど、それはひどく浅くて、精神的にも肉体的にも疲れが取れなかった。十時間布団の中にいても、起きたそのときにはすでに疲れ果てていた。

けれど、あの玄関で眠りに落ちた夜は、ぐっすりと眠れた。夢さえも見なかった。

目覚めたのはなんと半日以上たってからで、お昼をとっくに過ぎていた。体が軽かった。心も軽かった。そんなのは、加地君が死んで以来、初めてのことだった。ああ、とわたしは思った。ここなら眠れるんだ。この玄関でなら、わたしは生きていける。

それから、わたしは玄関で眠っている。

秋から冬に季節が移り変わり、冷たい隙間風がびゅうびゅう吹き込んでくるようになっても、厚い布団を重ね、毛布を重ね、決して玄関を離れなかった。壁紙が剥《は》がれかかった壁を、階段を、靴箱を眺めているうち、眠りに落ちた。

せめてお父さんがいるあいだは部屋で寝るべきなんだろうと思いながらも、わたしは玄関の布団に潜り込んでいた。お父さんが起きてきたらびっくりするに違いない。いい年をした娘が玄関でぐうぐう寝ているのだ。けれど、ここ以外の場所で眠る自信がなかった。それに、玄関で眠ることに、わたしはもう違和感を抱かなくなっていた。

誰かが見たら、おかしいと言うだろう。

どうかしてしまったのだと嘆くだろう。

確かにその通りなのかもしれない。きっと、そうなのだ。わたしはどうかしてしまったのだ。それでも、わたしは眠れる場所があることがありがたかった。ここは、この玄関は、特別な場所だ。なぜかはわからないけれど。

お父さんへの言い訳なんて、明日起きてから考えよう。

布団に入り、いつものように加地君のことを思った。今付き合っている男の子、つまり現役の恋人で、今日会ってきたばかりの巧君のことよりも先に、加地君のことが頭に浮かんだ。長めだった前髪や、切れ長の目や、少し尖《とが》った頬骨や、形のいい指を思い出した。初めて彼があの手で触れてきたとき、とても嬉《うれ》しかった。

彼の目も、頬骨も、手も、すべて消え去ってしまった。

もうどこにもない。

記憶の中にだけ、それは残っている。

加地君がバスの事故で死んだとき、彼の隣には女の子がいた。もちろんわたしではない。ニュースで見たので、彼女の顔と名前だけは知っている。美人というわけではないけれど、派手な顔をした日本人の女の子だった。顔の造りが大きくて、テレビ画面に映し出された笑顔はまるで花のようだった。地味なわたしとはまったく逆のタイプだ。

テレビに何度も何度も加地君と彼女の顔が映し出された。新聞をめくると、そこにもふたりの笑顔があった。笑うことが少なかった加地君なのに、写真ではいつも笑っていた。テレビは消した。新聞は決して見なかった。加地君の死も、その隣に女の子がいたことも、わたしは知りたくなかった。けれどコンビニで雑誌置き場の前を通ったら、ふと目をやった女性誌の表紙に、ふたりのことが書いてあった。

彼は最後まで彼女を守ろうとした！

とても大きな字で、しかも感嘆符までついていた。不意打ちされたような気持ちで、わたしはその文字を見つめ続けた。逃げても逃げても現実は追いかけてくる……逃げきれない……。もはや追いつかれたような気持ちになり、わたしは女性誌を手に取ると、記事を読んでみた。加地君の生い立ちがやけに美しく語られ、女の子のことがやはり美しく語られ、死んだそのあとも手を握り合っていたとか抱き合っていたとか書かれていた。白黒写真の加地君はやっぱり笑っていた。

彼の隣に座っていたのは、わたしではなかった。

わたしではなかったのだ。

他の子と手を握り合って、抱き合って、恋人は死んでしまった。

実際には、報道はほとんど嘘《うそ》だった。現地の警察が事実を確認しないままふたりを恋人扱いしたせいで、日本のマスコミがそれを信じてしまったのだ。あとになってわかったことだけれど、加地君と彼女は旅先でたまたま知り合っただけだった。日本を出国した時期も、島にたどりついた日も、まったく違っていた。加地君と彼女の足取りが重なるのは、事故の前日からだった。泊まったホテルが同じだったのだ。加地君と彼女は、そのホテルで出会ったらしい。それだって特別な意味があるわけではない。島に日本人が泊まれるようなホテルは一軒しかなかったので、たまたま一緒になったというだけのことだった。

バスで隣り合って座っていたのだから、話はもちろんしたはずだ。冗談を言って、笑ったりもしただろう。日本のことを懐《なつ》かしく語り合ったかもしれない。そしておそらく、それだけのことだったのだと思う。

冷静に考えてみれば……冷静になるのはとても難しいことだけれど……加地君が浮気をするはずがなかった。たとえ旅先で開放的な気持ちになっていたとしても、そういうことに関しては、彼はひどく律儀《りちぎ》な人だった。

信じきれるかと問われれば、絶対とは言えないものの、やっぱり信じるしかない。ただ他の女の子と並んで座ったまま彼が最期《さいご》を迎えたという事実だけは、ずっとわたしの心の中に棲《す》みついていた。たいていはじっとしているのだけれど、時折まるで虫のように動き出す。彼がいなくなった痛みは薄れつつあるのに、虫が蠢《うごめ》くざわざわした感じは今もまだ消えていなかった。

加地君と彼女は、たまたま知り合っただけだから！　恋人じゃないし、手を握り合っていたとか、抱き合っていたとかも嘘だから！

本当はそんなふうに叫びたかった。世界中に声を響き渡らせたい。けれど忘れっぽい世間は、もう加地君のことなんか覚えていなかった。次の悲劇に、あるいは喜劇に、目を移してしまっていた。叫んでも、わたしの声を聞く人はいない。わたしは黙り込んだまま、ただ心の中で叫ぶしかなかった。自分に向かって声を放つことしかできなかった。

まあ、それでいい。わたしがちゃんとわかっていれば、いい。

こうして玄関に横たわっていると、なぜかもういない加地君と通じているような気がした。彼がすぐそばにいるように思えることもあった。今夜は月が明るいのか、磨《す》りガラスがいつもより強く光っていた。雪の結晶みたいな模様の一部がきらきらと輝いていて、まるでプリズムのように七色になっているところもあった。おやすみ、加地君。虹《にじ》に似た輝きをぼんやり眺めながら、わたしはそっと呟《つぶや》いた。加地君、おやすみなさい。

目を閉じると、穏やかな眠りがすうっと訪れた。

第二章　流れ星マシンとプラネタリウム

目の前に、敵がいる。

放たれたジャブを、僕はスウェーでかわした。スウェーというのは、体を後ろに反らせることだ。ボクシングでは真っ先に教えられる基本技術だけれど、基本技術というのがたいていそうであるように、これが意外と難しい。しかも僕は体が硬い方なので、なんだかぎこちなくなってしまう。ジャブはどうにかかわせたけれど、山崎先輩に距離を詰められてしまった。

まずい……。

ジャブとストレートの打ち方くらいしか教わってない僕には、インファイトなんて無理だった。相手の赤いグローブに焦《あせ》りながら、両腕でガードを固めた。しかし山崎先輩はガードの上から容赦なく打ってきた。

どん、と重い衝撃。

バランスが崩れる。

ガードが甘くなる。

腕のあいだを縫うようにして、山崎先輩の拳《こぶし》が僕の顔面を捉《とら》えた。つけているのは十六オンスのグローブだし、もちろんヘッドギアもしてるけれど、頭の芯《しん》が真っ白になった。どうやらまともに食らったらしい。僕は破れかぶれで、右腕をぶんと振りまわした。フックとも呼べないような大振りだ。もちろん僕の拳は山崎先輩には当たらなくて、それどころか開いた右腹に強烈なボディブローを打ち込まれた。これは、かなり効いた。顔を殴られるのもきついけれど、腹はもっときつい。喉《のど》の奥の方に、熱いものがせり上がってくる。

どうにか吐き気に耐えていると、山崎先輩が声をかけてきた。

「打ってこいよ、巧」

スパーリング中だというのに、やけに冷静な声だった。

はい、と肯《うなず》いて、僕は教えられた通りにジャブを放った。体の芯を意識し、軸足に体重を残しながら、左腕をまっすぐに伸ばす。自分でも恥ずかしくなるくらい、みっともないジャブだった。全然、さまになってない。案の定、山崎先輩はあっさりと僕の拳をかわした。それでも諦《あきら》めず、二回三回とパンチを繰り出す。まったく当たらない。かすりもしない。

山崎先輩は明らかに遊んでいた。大げさなスウェー、ダッキング、ウェービング。軽やかなフットワーク。蝶《ちょう》のように舞う先輩を、僕はのたのたと追いかけるばかりだった。

やがてリングの外から失笑が聞こえてきた。

「いい加減にしろよ、山崎。あとが詰まってるんだから、さっさと切り上げろって」

その声にはからかうような調子も混じっていた。

直後、山崎先輩の雰囲気が変わった。顔つきが真剣になり、しっかりガードを上げながら、セオリー通りの動きで僕をコーナーへと追いつめていく。僕はフットワークを駆使して山崎先輩の左にまわりこもうとしたけれど、先輩の方がよっぽど速かった。滑らかに先まわりされた。

ちくしょう……どうしてあんなふうに動けるんだろう……。

走ったり跳んだりは人並み以上にできるけれど、僕の体は先輩のようには動かない。どうしたって、もっとぎこちなくなってしまう。柔軟運動とかをしても、先輩は立ったまま床にぺったりと両手をつけることができるのに、僕は指先がほんのちょっと床に触れるくらいだ。生まれつき、関節が硬いのだった。

どうする？
どうする？
どうする？

頭の中で同じ言葉がぐるぐるまわる。しかし焦ったところで実際にできることなどなにもなく、僕は山崎先輩のジャブを立て続けに食らった。三発目くらいで鼻の奥がじんとして、生温かいものが口まで伝い落ちてきた。どうやら鼻血が出たらしい。気持ち悪いので鼻血を拭《ぬぐ》おうとした瞬間、四発目が飛んできた。肩をしっかり入れた、ストレートに近いジャブだった。これもまた、まともに食らった。頭が激しく揺さぶられ、真っ白になる。

どうやら山崎先輩は本気で僕を仕留めようとしているらしい。

それにしても情けない話だった。僕のパンチは一発も先輩に当たっていなかった。かすってさえいない。いくらキャリアに差があるといっても、これはひどすぎる。やっぱりボクシングには向いてないいんだな……。

確信した直後、右ストレートが来た。僕は目がいい方なので、パンチの軌道は見えた。まるで空間を切り裂くように伸びてくる。その先にあるのは僕の顔だった。当たるな、と思ったものの、体は反応しなかった。避けられなかった。

どたん、とものすごい音がした。

僕が倒れた音だった。

「飲めよ」

山崎先輩が差し出してきたのは、ダイエットペプシだった。どうも、と言って、僕はありがたくその施しを受け取った。スパーリングを終えたばかりだというのに、先輩の顔はきれいなものだった。まあ、当たり前だ。僕のパンチは当たっていないのだから。悔しいという気持ちはなくて、むしろ情けなかった。

このゴリラみたいな顔を、一発くらいぶん殴ってやりたかったのにな。

先輩はくたびれたTシャツを着ており、首にタオルを巻いている。僕の方も似たような格好だ。ジムの更衣室は暖房なんか効いてなくて、吐く息が真っ白になるくらい冷えきっていた。なんだか冷蔵庫の中に放り込まれてるみたいだ。それでも激しい運動を終えたばかりの僕たちには暑すぎるくらいだった。

「俺の奢《おご》りだ」

僕が座っているプラスチック製のベンチに、山崎先輩がどすんと腰かけてきた。

「じゃあ、ありがたくいただきます」

「おう」

はじける炭酸が口中に染《し》みた。まるで拷問《ごうもん》みたいだった。だいたい、ただの練習生でしかない僕に減量は関係ないんだから、ダイエットペプシなんておかしな話だ。

「痛っ……」

呻《うめ》くと、山崎先輩は意地悪く笑った。

「口の中が切れてるから染みるだろう」

「痛くて飲めないです」

「いいから、飲めって。俺が奢るなんて珍しいんだぜ」

「もしかして先輩、俺が痛がるのを見たくて、炭酸買ってきたんですか」

「まあな」

まったく意地悪な人だ。僕は我慢してもう一口飲んでみたけれど、やっぱりものすごく染みた。それで顔をしかめていたら、ひょいっとペプシを取り上げられた。代わりに押しつけられたのは、ウーロン茶だった。

「そいつはあんまり染みないぞ」

ゴリラみたいな顔をしていても、山崎先輩はけっこう優しい。僕がまだジムに通っているのは、山崎先輩がいるからだった。そうでなければ、あっという間に辞めていただろう。実のところ、僕はボクシングに興味なんてなかった。たまたま山崎先輩に付き合ってジムに来たら、お約束のように会長から誘われ、その強引な勧誘を断りきれなくて、なんとなく入会してしまっただけなのだ。

とはいえ、体を動かすのは悪くない。

硬い体を少しでも柔らかくしようとストレッチに励んだり、鏡の前でパンチの練習をしたり、サンドバッグを打ったり、くたくたになるまで縄跳びをしたりするのは、単純に楽しかった。高校のときはサッカー部で毎日体を動かしていたのに、大学に入ってからはそういうのがなくなって、すっかり退屈していたのだ。久しぶりに体を限界まで動かす感覚は、僕にとって純粋な喜びだった。筋肉が伸びる、そして収縮する。限界が近づくと、不思議と苦しみが消え去って、むしろ激しいトレーニングに陶酔さえ覚えるようになる。僕はそんな瞬間を心底から愛していた。しかし、ボクシングというスポーツには、サッカーや野球とは決定的に違うところがある。

それは、人を殴るということだ。

サンドバッグではなく、パンチングボールでもなく、生身の人間に拳を振るうのだ。僕だって男だから一回や二回は喧嘩《けんか》の経験があるけれど、せいぜい摑《つか》み合うくらいのもので、拳で相手を容赦なく殴るなんてことはなかった。いくらグローブをつけ、へッドギアを装着し、ルールをちゃんとわかった上でリングに立っているとはいえ、簡単に人を殴れるものではない。

殴られるのは、怖い。

殴るのだって、怖い。

しばらく無言のまま、僕はウーロン茶を、山崎先輩はダイエットペプシを飲んだ。少しずつ体が冷えてきて、冬の寒さを感じ始めた。

「おまえ、ボクシングには向いてないいな」

「はい」

「なんか体が硬いんだよな。軽いジャブなんかでも、打つ前から力が入ってるだろう。だから、こっちもどういう感じでパンチが来るのかわかってよけやすい」

「どうしても力が入っちゃうんですよね」

「誰でも最初はそうだけどな」

先輩がペプシの缶を傾ける。先輩の口に、炭酸は染みない。

「まあ、でも、おまえはいつまでたってもうまくならないだろうな」

「そうかもしれないですね」

認めるしかなかった。誰にだって、向き不向きはある。これ以上ボクシングを続けても、僕はほとんど上達しないだろう。いつまでもぎこちないパンチを放ち続け、フットワークもひどいもので、あとから入ってきた練習生に滅多打ちにされるだけだ。僕はなにかを腹の底に流し込むため、ウーロン茶をごくごく飲んだ。ただのウーロン茶なのに、やけに苦かった。

「おまえをここにつれてきたの、俺だろう。だから、ちょっと責任を感じてるんだよな。月謝だって安くないしよ」

「月謝はなんとかなりますけど」

「どうするんだ、続けるのか」

質問の形を取ってはいたけれど、ほとんど宣告みたいなものだった。横を向くと、山崎先輩も僕を見ていた。本当にゴリラそっくりだ。動物園で見るゴリラがたいていそうであるように、なんとなく悲しそうな目をしていた。

山崎先輩とは、高校のころからの付き合いだ。ふたりともサッカー部で、先輩は一学年上だった。僕は右サイドの7番、山崎先輩はセンターバックの4番だ。山崎先輩はそのごつい体で、ありとあらゆるクロスを、敵フォワードを、見事に跳ね返していた。山崎先輩がいるころの僕たちのチームはけっこう強くて、県大会でも二回か三回は勝てた。全国的に有名な名門校が相手だって、どうにか三点差以内の勝負に持ち込むこともできた。だから僕は山崎先輩を心底から信頼していた。誰よりも頼りになるセンターバックだ。その山崎先輩の言葉だけに、軽く受け流すことはできなかった。

　それでも僕はいったん逃げた。

「今日、石橋トレーナーに怒られました」

「髪のことだろ？」

「はい」

「これはおまえ、確かにやりすぎだよ」

　笑いながら、先輩が髪を引っ張ってくる。たぶんわざとだろうけれど、強めに引っ張られた。僕もまた、痛いっすよ、と大げさに笑いながら言った。先輩がつまんでいる僕の髪は見事な金色だ。あともうちょっと髪が長かったら、歌舞伎町《かぶきちよう》とかで女の子を引っかけてるホストみたいな感じになってしまうだろう。僕たちが通ってるジムはわりと硬派な雰囲気で、普通の茶髪くらいならともかく、ここまで金色だとさすがに目をつけられてしまう。

「俺のせいじゃないです。姉ちゃんがガサツだから」

「瑞穂《みずほ》さんが染めたのか、これ？」

　山崎先輩が身を乗り出してきた。瑞穂というのは、僕の姉貴だ。高校時代に紹介してからというもの、山崎先輩は姉貴に惚《ほ》れている。

「ちょっとだけ色を抜こうと思ってブリーチ剤買ってきたんですけど、姉ちゃんがやってやるって言い出して。悪い予感したんですよね。あの人、本当にガサツだから。案の定、注意書きに十五分って書いてあったのを二十五分と読み間違えちゃって。俺がもういいだろうって言っても、まだだからって言い張るんですよ。それで、こんなふうになっちゃったんです。あとで鏡見て、愕然《がくぜん》としました」

「いいな、おまえ」

山崎先輩は僕の言ったことなんて聞いちゃいなかった。

「瑞穂さんに染めてもらったのか」

「やめとけばよかったですよ。姉ちゃんに頼んだの、間違いでした」

「いや、羨《うらや》ましいよ」

いいないいな、と言って、先輩は僕の髪を引っ張った。痛いっすよ、と僕は抗議の声を上げておいた。

「俺も瑞穂さんに染めてもらいたいな」

「気をつけないと、金色になりますよ」

「かまわないから頼んでくれ」

山崎先輩は真剣だった。この人が姉貴の彼氏になるのなら、僕にとっても嬉《うれ》しいことだった。でもまあ、無理だろうな。

「先輩」

「なんだ」

「実は姉ちゃん、面食いなんです」

「面食い？　瑞穂さんが？」

「ジャニーズ系みたいな顔だといちころですね。それに、俺らみたいな体育会系じゃなくて、ひょろひょろしてる方が好きです。マッチョは気持ち悪いっていつも言ってますから」

「おい、嘘《うそ》だろう。おまえ、俺をからかってるだろう」

「本当です」

すがるように迫ってくる山崎先輩にそう告げると、先輩は肩をがっくり落とした。

先輩の胸板は、外人並みに厚い。しかも胸毛まで生えている。腕なんて丸太みたいだ。マッチョ中のマッチョだった。姉貴が一番苦手にしてるタイプだ。

「駄目か、マッチョ」

「たぶん」

「そうか、駄目か」

かわいそうなくらい落ち込んでいる先輩の隣で、ウーロン茶をごくごく飲む。舌先で口の中を探ってみると、だいたい三カ所くらい切れていた。マウスピースをしていても、あれだけ殴られればしかたない。これはしばらく飯を食うのが大変そうだ。

古株の練習生たちがやってきたので、僕と山崎先輩は、ちわーっす、と挨拶《あいさつ》した。

六回戦に上がったばかりの人が僕の顔を見て、

「おい、世界戦でもやってきたのか？」

と下らない軽口を叩《たた》いた。

少しばかりむかついたけれど、笑っておいた。

連中が去ってしまうと、ふたたび更衣室の中は静けさに包まれた。僕の吐く息も、山崎先輩の吐く息も、真っ白だった。僕たちの体はすっかり冷えきってしまっていた。

僕は更衣室の中を見まわした。ベコベコにへこんでいる鼠色《ねずみいろ》のロッカー、その上に積み上げられたグローブやシャツ、すっかり色褪《いろあ》せた日本タイトル戦のポスター、斜めにヒビが入った窓ガラス。僕は突然、この光景がとても愛《いと》しく思えてきた。ガキのころからずっと運動部に所属し続けてきた僕は、こういう場所で育ったのだ。中学のときも、高校のときも、授業が終わった途端、すぐさま部室に駆け込んだ。仲間と軽口を叩いたり、時には喧嘩腰になったりしながら、いろんなことを身につけた。教室なんかじゃない。僕はこういう場所で生き方を覚えたんだ。

先輩の視線を感じながら、僕は悪あがきのように、もう一度更衣室の中を見まわした。ここを去りたくなかった。やがてポスターの中でファイティングポーズを取っている挑戦者と目が合った。この人はタイトル戦に負けた。三ラウンドノックアウト。ひどい負け方だったらしい。そして試合の直後、彼はジムを辞めた。ある日いきなりロッカーから荷物が消え去って、連絡も取れなくなってしまったのだそうだ。今はどこでなにをしてるのか誰も知らない。ボクサーはたいてい、そんなふうに消えていく。

白い息で、僕は言った。

「ジム、今月で辞めます」

「そうか」

「向いてないですからね」

「俺もおまえも本気でプロを目指してるわけじゃないんだから、趣味として続けるってのもありだぞ」

「いや、そういうのはちょっと」

たとえ下手でも、ずっと続けるという道はあるだろう。間違ってないし、それはそれで尊いことだと思う。なにかを一生懸命やるというのは、確かに美しかったりするものだ。だけど、やるからには僕は人よりうまくなりたかった。才能がないと知った今、これ以上続けるのは空《むな》しいだけだった。

加地なら違うんだろうな……。

いつものように、僕はそんなことを思った。なにか決めるとき、僕はいつも加地のことを考えてしまう。加地ならどうするだろうか。加地はこんなこと考えるだろうか。加地はもっとうまくやれるだろうか。まったく無意味な比較だけれど、まるで爪《つめ》を噛《か》む癖のようにやめられなかった。

加地は、もうこの世にいない親友は、僕とはまったく違うタイプだった。やり始めたら、自分に向いていようが向いていまいが、とことんまでやり続けるのだ。周りが痛々しく感じる状況になっても、決して諦《あきら》めなかった。そんな加地の不器用さを、僕は心のどこかでバカにしていたけれど、同時に羨ましく思ってもいた。僕には、あいつみたいな意地とか根性なんてない。良くも悪くも、もっと器用に生きてしまう。

本当に加地は不器用な奴《やつ》だった。だからこそ、あいつは奈緒子《なおこ》を手に入れたのだろう。奈緒子が加地に惹《ひ》かれた理由は、加地の不器用さだったに違いない。たとえば辛《つら》いことがあったとき、僕は仲間たちと酒でも飲みに行く。みんなで騒いで、大声を上げて、その辛いことを忘れようとする。だけど、加地は違う。あいつは全部抱え込んで、ひとりきりの部屋でこっそり泣くのだ。

もし今の僕と同じ状況に加地が陥ったら、どうするだろうか。

「続けます」

奴なら、そう言うだろう。

間違いない。

周りから才能がないと笑われようと、下手くそとバカにされようと、あとから入ってきた練習生にぼこぼこにされようと、ボクシングを続けるはずだ。才能がないからこそ、決して諦めないだろう。

僕が今、対峙《たいじ》してるのは、山崎先輩ではなかった。

加地だった。

それは恐ろしく無意味な闘いだ。僕がパンチを繰り出しても、加地は決して倒れない。死という名の絶対性を獲得した加地には、どんな攻撃だって通じないのだ。僕が放ったパンチは、なぜか僕自身の顔に当たる。ムキになればなるほど、自分が傷つくばかり。先に倒れるのは、必ず僕の方だった。

僕はどうしてこんなことを続けているのだろうか……負けるために闘ってるような

ものじゃないか……。

いつものようにそんなことを思ってみたけれど、やはり心に浮かんでくるのは加地の姿だった。僕はまた加地に負けようとしている。たぶん数百回目くらいの敗北だ。この胸で渦巻く感情は諦めなのだろうか。嫉妬《しっと》なのだろうか。それとも憧《あこが》れなのだろうか。わからぬまま、僕はあがきつづけた。

言葉を口にするまで、三分くらいかかったと思う。

「いい勉強させてもらいました。ありがとうございました、先輩」

ベンチに座ったまま、僕は深々と頭を下げた。

高二の秋まで、僕は加地のことをよく知らなかった。一年のとき、クラスが一緒だったというだけだ。友達だなんて、とても言えない。友達というのは、気の合う奴となるものだ。たとえ同じ教室で机を並べても、気が合わなければ友達にはならない。

僕はどちらかというと活発で、勉強よりも体を動かすことに喜びを覚えるタイプだった。小学生のころは昼休みになると真っ先にグラウンドに飛び出した。ドッジボールなんか人一倍張りきる方だった。そんな僕と違って、加地はひとりでいることが多く、本ばかり読んでいた。小学生時代のドッジボールでは、真っ先にボールをぶつけられていた方だろう。僕は加地みたいなタイプは眼中になかったし、加地だって僕のことなんか気にしていなかったと思う。でも、あることをきっかけに、僕たちは親しくなった。

それは高二の秋だった。

深夜の学校に、僕はひとりで忍び込んだ。文化祭の準備をするためだ。僕たちのクラスはありきたりだけれど、喫茶店をやることになった。ただ、どうにもクラスにまとまりがなくて、準備が全然はかどらず、文化祭二日前になっても終わってなければいけないはずの飾りつけがまったくできていなかった。間違いなく当日には間に合わない状況なのに、誰もどうにかしようとしなかった。

だから、僕は考えたのだった。ひとりで片付けてやろうって。学校に忍び込み、徹夜で飾りつけをやってしまうのだ。翌日登校してきたクラスメイトたちは、すっかり飾りつけの終わった教室を見て、きっとびっくりするだろう。そして僕は教室の真ん中でイビキをかいて寝ているというわけだ。

「一躍ヒーローだな」

そんな邪《よこしま》なことを呟《つぶや》きながら、僕は学校の正門をひょいっと跳び越えた。僕たちが昼間走りまわっているグラウンドに、人影はひとつもなかった。宿直の先生に見つからないよう塀に沿って歩きながら顔を上げると、校舎の右端の方で一瞬だけなにかが光った。

あれ？　誰かいるのかな？

きっと、僕と同じように、徹夜で文化祭の準備をしてる奴がいるのだろう。あれは学年教室じゃないな。三階の右端ってことは、ええと、物理生物学教室か。いったいどこの部が使ってるんだろうか。

昼間のうちに鍵《かぎ》を開けておいた非常口から校舎に入ると、真っ暗な階段を上り、二階にある自分の教室に向かった。本当は教室の照明を全部つけたかったけれど、そんなことをしたら、さすがに見つかってしまう。僕は懐中電灯の光を頼りに、飾りつけに取りかかった。

だけど、これがなかなか大変だった。始めてすぐに気付いたのだが、僕には美的センスという奴が決定的に欠けているらしい。リボンやら布やらをどう使ってみても、ひどい有り様にしかならなかった。やればやるほど、みっともなくなっていくばかりだった。

おかしい……こんなはずじゃ……。

僕はだんだん焦《あせ》り出した。みっともない飾りつけを残したりなんかしたら、朝になって登校してきたクラスメイトたちに笑われるだろう。ぶうぶう文句を言われるに違いない。それじゃ最悪だ。やらない方がましだ。

ああ、どうしてうまくいかないんだろう……このリボンの垂らし方、最悪だ……見てるだけで嫌になる……わけがわからなくなってきた……。

一時間くらい格闘したところで、僕は途方にくれた。リボンをだらしなく手に持ったまま、暗い教室の真ん中に立ち尽くし、たかが飾りつけ程度のことなのに泣きそうになっていた。まるで小さなガキに戻ったような気分だった。こんな暗い場所にひとりでいるのがいけないんだ。帰ろう。そう思った。家で不貞寝《ふてね》でもしよう。敗北感と気怠《けだる》さを身にまとい、僕はリボンを床に放り投げると、教室から逃げ出した。そう、逃げ出したのだ。なにもなかったことにしようとした。そして、うつむいたまま廊下を歩いていたら、いきなり誰かとぶつかった。

やばい、先生だ！

慌《あわ》てたが、ぶつかったその相手はあっさり床に倒れ込み、

「痛てえ」

と呻《うめ》いた。

聞き覚えのある声だった。

「加地？」

懐中電灯をつけて倒れている奴に向けると、ぼんやりと丸い光の中に、ちょっとだけ女っぽい顔が浮かび上がった。

「あれ？　川嶋《かわしま》？」

「おう。おまえ、なにしてんだ？」

「文化祭の準備。川嶋は？」

「同じ。俺も文化祭の準備だよ」

本当は途中で諦めたんだけど。

そこで、ぴんと来た。

「物理生物学教室でなんかやってたの、加地だったのか」

「え、どうして知ってるんだ？」

「校舎に忍び込むとき、ちらっと光が見えたんだよ。おまえ、そういや科学部とかに入ってたよな。なに作ってるんだ？」

やけに気楽な調子で、僕は話していた。

もしこれが昼間の校舎だったとしたら、僕は加地とこんなふうに話し込んだりしなかったはずだ。お互い顔は知っているけれど、さして仲がいいわけではなかった。たぶん夜の空気が、がらんとした校舎の雰囲気が、僕をいつもとは違う気持ちにさせていたのだろう。

どうやらそれは加地も同じだったようだ。

「プラネタリウムを作ってんだ」

やけに人懐《ひとなつ》っこい笑みを浮かべながら、加地は立ち上がった。

僕は加地がこんな顔をするなんて知らなかった。

「プラネタリウムって、あれか、星を映す奴か？」

「そうだよ」

「すごいな」

「観《み》ていくか？」

「おお、いいな」

それで僕たちは揃《そろ》って廊下を歩き出した。共通の友達のことや、女の子のことや、嫌な先生のことを話してるうちに、物理生物学教室に着いていた。机の上にランタンみたいな照明装置が置いてあって、その明かりでぼんやりと半球状の物体が見えた。直径三メートルくらいのドームが、天井からぶら下がっていたのだ。ドームの縁《ふち》には、床まで届く暗幕がぐるりと巻きつけてあった。

「おい、本格的じゃないか」

　僕は驚いてしまった。

　ランタンみたいな照明を手にした加地は得意気に、

「まあ、入れよ」

　と言って、ドームに姿を消した。

　加地を追って中に入ると、僕はさらに驚かされた。なんと、そこには見事な人工の星空がすでに広がっていたのだ。想像していたよりもはるかにきれいだったのでびっくりした。まるで本物の星空のようだ。すごい。これは本当にすごい。加地がなにかのスイッチを入れると、その見事な星空がゆっくりと回転し始めた。

　僕の体の上を、無数の星が動いていった。

「おまえが作ったのか、これ」

「いちおう部活のみんなでやってることになってるんだけどさ。実際はほとんど俺が作ってるよ。去年くらいからやってるんだ」

「去年？　そんな前からか？」

「ああ。でも、全然追いついてないんだ。本体はどうにか動くようになったし、星空もけっこうきれいに再現できるようになったんだけど、この――」

と言って、小さな箱を叩《たた》いた。

「――流星発生装置がうまく動かなくてさ。だから今晩も来てたんだ。何度やっても、うまく動いてくれなくて参るよ」

「へえ」

今晩も、と加地は言った。ということは、今までも何回か来てたのだろう。よくもまあ、文化祭ごときにそこまでの情熱を注げるものだ。それにしても、僕たちの頭上に広がる星空は、本当に見事だった。いつまでもぼんやりと観ていたくなるくらいきれいだった。喫茶店の飾りつけさえもうまくできない僕とは大違いだ。

普段、どことなく暗い加地のことを、僕は少しバカにしていた。僕だけではなくて、運動部系の人間は、文化部系の連中を、だいたいそんなふうに見ている。しかしこの瞬間、僕は完全な敗北感を味わっていた。加地がとんでもなく上等な人間に思えた。なにしろ、僕はクラスメイトたちにいい格好をしたくて、今夜ここに来たのだ。ただ見栄《みえ》のために、だ。それに対し、加地はもっと遠くを見ていた。この美しい星空のために、加地はここにいるのだ。

しばらくのあいだ、僕たちは星空を眺めながら、黙ったままでいた。僕の方は劣等感や嫉妬といった薄汚い気持ちでぐちゃぐちゃになっていたのだけれど、加地はそんな僕とは違って、やけにすっきりした顔を星空に向けていた。

ああ、本当にきれいな星だ……。

それはまるで今の加地のようだった。不器用で、友達が少なくて、本ばかり読んでいて、周囲から意気地なしだと思われていて、だけど誰よりも意気地を持っている。プラネタリウムが映し出す星々のように、加地は輝いていた。

やがて加地はしゃがみ込むと、

「なんで動かないのかな」

そう言って、またあの箱みたいな装置を叩いた。

僕は加地のそばに行き、そいつを覗《のぞ》き込んだ。

「見せてもらってもいいか？」

「ああ」

「星を流すってどうやるんだ？」

「ほら、箱の中に光源があるだろう。でさ、外側のスリットが回転すると、光がその動きに合わせて漏れ出すんだよ」

「あ、なるほどな」

ちょっと見ただけで、すぐにわかった。構造自体は実に単純なものだった。光源であるハロゲン灯と、二種類のスリットと、それをまわすモーターと、モーターの回転を制御する回路があるだけだ。

「スイッチは……ああ、これか」

古臭いトグルスイッチをぱちんと倒すと、光源であるハロゲン灯が輝き、スリットが回転し始めた。けれど、回転が速すぎて、ただ光がちらついているようにしか見えなかった。とても流れ星と呼べるものではない。

「なんだ、変圧器が合ってないんだよ」

「そうなのか」

覗き込んだ加地の顔を、チラチラする光が照らし出した。

「俺、そういうのよくわからなくて」

「要するに変圧器でモーターのスピードを変えるんだけど、変圧器ごとに抵抗値ってのがあってさ、それがこのモーターに合ってないんだ。あと、このスリット、ちょっと幅が広すぎるな。ドライバー、あるか？」

「あるよ。ちょっと待ってくれ」

照明をつけると、プラネタリウムが置かれている台の下から、加地が段ボール箱を取り出してきた。その中には、一通りの工具の他に、いくつかの部品も入っていた。

「あ、これ使えばいいんだよ」

僕は黒い変圧器を手に取り、言った。

「ちゃんとあるじゃないか」

「なんだ、やっぱりそれだったのか。そういうのに詳しい先輩に教えてもらって、どうにか設計図は描いたんだ。俺、文系だろ。難しくてさ。本当に参った。設計図はこれでいいって先輩にＯＫ貰《もら》ったんだけど、対応する部品もいろいろあるんだよな。そっちはもう全然わからなくてさ。いろいろ買い揃えたら、よけいわからなくなっちまって」

「その設計図、見せてみろ」

加地がポケットから取り出した紙片は、もうくしゃくしゃになっていて、手垢《てあか》までついていた。それで僕は、こいつがどれほど苦労してこの機械を作ったのか理解した。何度も何度も組み立て、そのたびに動かず、けれど諦《あきら》めず、ずっと挑戦し続けてきたのだ。

「ああ、だいたいわかった」

僕はドライバーを使って、流星発生装置をバラバラにした。そしてスリットの部分を加地に押しつけた。

「これ、作り直せよ。幅はたぶん、この半分くらいでいいはずだ」

「お、おう」

加地はびっくりしてるみたいだった。

「悪いな、手伝ってもらって」

「まかせとけよ。こういうのは得意なんだ」

僕たちはそれぞれの作業を開始した。半田ゴテを使って、間違った変圧器を取り外し、正しいのにつけ直す。そのついでに、取りつけの甘かった回転部分を補強しておいた。こういうところをしっかり作っておかないと、機械というのはすぐに壊れてしまうのだ。加地の方は薄いプラスチック板をカッターでくりぬいていた。

「川嶋、すごいな」

作業を続けながら、加地が言った。

「よくそんなのわかるな」

「うちの親父《おやじ》が、電気製品いじるの好きなんだよ。掃除機とか、ラジオとか、買ってくると必ず自分で一回ばらして組み立て直すんだ。そういうのを小さいころから見てたからな。門前の小僧って奴《やつ》だよ」

「いや、すごいよ。本当にすごいって」

加地がバカみたいに褒めるものだから、やけに照れ臭かった。

「科学部なんかにいても、俺は文系だから、機械のことは全然わからないんだ」

「俺もなんとなくわかるだけだよ。それに俺、ガサツだから、あんまり細かいことまではできないし。おまえこそ、よくそんなふうにくりぬけるな」

簡単な機械も組み立てられないくせに、加地は恐ろしく手先が器用だった。カッターを使って、滑らかな曲線をきれいにくりぬいている。完全なフリーハンドだ。僕だとあんなふうに切るのは無理だった。ぐちゃぐちゃになってしまう。

「加地は美術の成績よかったものな。センスあるんだな、そういう」

僕が褒めると、加地は恥ずかしそうに笑った。そのシャイな感じが、不思議とかっこよかった。なるほどな、と僕は思った。弱っちいくせに、加地はけっこう女の子にモテる。いや、モテるという言葉は、少し違うか。隠れファンみたいな子が何人かいるという感じだ。

三十分くらいで流星発生装置とやらは完成した。僕にすれば簡単なものだった。スイッチを入れると、いきなり流れ星が映し出された。ひゅんひゅんとおもしろいように流れる。加地も僕も感嘆の声を上げた。作った僕たち自身でさえびっくりするくらい、その流れ星はきれいだった。

すごいな、と加地が言った。

「流れる音が聞こえそうなくらいだ」

「ああ、本当にきれいだな」

「川嶋のおかげでようやく完成したよ、流星発生装置」

少し考えてから、僕は言った。

「その発生装置っていうの、やめようぜ。もっとかっこいい名前にしないか」

「かっこいい名前って？」

「たとえば……流れ星マシンとか」

「それ、かっこよくねえよ」

「ええ、そうかな。なかなかいいと思うけどな」

「ううん、流れ星マシンか」

不満そうだったけれど、それでも加地は肯《うなず》いた。

「まあ、川嶋のおかげで完成したんだから、命名権は川嶋にやろう」

「じゃあ、やっぱり流れ星マシンだ。決定」

その流れ星マシンは、相変わらずひゅんひゅんと星を流し続けていた。こうしてずっと観ていても、まったく飽きないくらい美しい流れ星だった。

「ありがとう、川嶋。助かったよ」

ガキみたいな顔で、加地が礼を口にした。

ああ、こいつはこんなに素直だったんだな。加地の新たな一面を知ったような気分だった。文化部系にありがちな、もっと拗《す》ねた奴かと思ってたのに、本当はガキみたいな顔ができるんじゃないか。

気がつくと、僕は加地に頼み事をしていた。

「あのさ、加地、手伝ってくれよ」

「手伝う？　なにを？」

「俺の教室の飾りつけ。全然うまくできないから、不貞腐《ふてくさ》れて帰ろうと思ってたんだ。みんなにいい格好しようと思ったのに、大失敗だよ」

ギブ・アンド・テイクって奴だな、と加地が言った。

おお、と僕は肯いた。

それから僕たちは、揃《そろ》って僕の教室に移動した。僕が投げ出したリボンやら布やらが、汚らしく床に放り出してあった。ああ、僕はなんていい加減な奴なのだろう。始める前より、ひどくなってるじゃないか。まともに片付けもせず、帰ろうとしていたのだ。本当に最低だった。

明るい色の布を手に取り、加地は言った。

「じゃあ、始めるか」

あいつのセンスは、たいしたものだった。

なんでもない布を垂らし、リボンを下げ、色紙を切ったり貼《は》ったりしているだけなのに、どんどん見事な飾りつけができていった。赤い紙や緑の紙を組み合わせると、むちゃくちゃおもしろく感じられる模様が現れた。なんでこんなことができるのだろうか。それはまるで魔法みたいだった。

飾りつけが終わるまで、たぶん一時間もかからなかっただろう。

「こんなものかな」

椅子《いす》の上に立った加地が、そう言った。

僕は本当に驚いていた。

「おまえ、すごいよ」

加地が一番時間をかけたのは、ベージュ色の布に色紙を貼り合わせたものだった。さまざまな色紙をくしゃくしゃにして、それを切り貼りしたのだ。金色の紙をあえてくしゃくしゃにするなんて、僕には考えもつかなかった。なんて名前だっけな。金色を使うのがうまい画家がいたよな。ヨーロッパの方でさ。クリムトだっけ？　よくわからないけど、あんな感じだ。すぐ近くで見るとものすごく適当に貼ったようにしか思えないのに、一メートルくらい離れると逆にものすごく繊細に感じられる。

「なんでこんなの作れるんだ?」

僕が感嘆を込めてそう言うと、椅子の上に立ったままの加地が得意気に笑った。もちろん僕だって笑った。夜の教室に、僕たちの笑い声が響いた。不思議なくらい、加地のことが近しく感じられた。そして加地が同じように僕のことを近しく感じてくれていることもわかった。それはなんだか、ひどく気持ちのいいことだった。サッカーで逆転ゴールを決めるのと同じくらい楽しかった。

僕は歩み寄ると、サッカーの公式戦のあとにするような感じで、加地に右手を伸ばした。自然と体がそんなふうに動いていた。加地は相変わらず椅子の上に立ったまま、僕の手を自然な仕草で握ってきた。加地の手は少しごつごつしていて枯れ木のようだったけれど、とても温かかった。僕たちは互いの手を握り合いながら、わざとらしく大きく振った。何度も何度も、大きく振った。

あの握手の瞬間から、僕と加地は友達になったのだった。

なんだかまっすぐ家に戻る気にはなれず、いつもとは違う角を曲がっていた。真新しい家の庭先に洗濯物が干しっぱなしになっていて、タオルやらジーンズやらが冬の冷たい風に寂しく揺れていた。どこかで犬が吠《ほ》えている。大きな犬らしく、鳴き声がやけに低い。倉庫脇《わき》に停められた軽自動車の中で、作業服姿の男が煙草《たばこ》を吸っていた。男が煙草をくわえるたびにその先が赤く光り、男の顔をうっすらと照らした。辺りはすっかり暗くなっていて、顔を上げるといくつか星が見えた。かつて加地が作り出した人工の星空の方がよっぽどきれいだった。

加地がもうこの世にいないだなんて、僕には信じられなかった。

あいつが死んだのは日本ではなかった。名前を聞いただけではどこにあるかわからないような外国の島で、その若い命を落とした。地図で確かめたら、まるでインクの染《し》みみたいな、ちっぽけな島だった。小さすぎて、島の輪郭さえもわからなかった。加地は行き先を決めない貧乏旅行をやっていて、そこに流れ着いたらしい。

事故のニュースがテレビで流れたとき、僕は家族と朝ご飯を食べていた。パンにバターを塗りたくっていた僕は、画面に映し出されている顔写真が加地だと気付いた途端、ぽかんとしてしまった。高校のころの写真らしく、加地は真っ黒の学生服を着ていた。

ぼんやり画面を眺めていたら、向かいに座っていた姉貴が、

「どうしたの？」

と尋ねてきた。

僕はバターナイフを持った右手で、画面を指差した。

「加地だ、これ」

「え？　加地君って、あの加地君？」

「うん」

画面には、加地の写真と、一緒に死んだという女の子の写真が、並んで映し出されていた。高校生の加地は珍しく笑っていた。いつこんな写真を撮られたんだろう。誰がこの写真をマスコミに渡したんだ。家族だろうか。それとも卒業アルバムからだろうか。そんなことを考えながら、アナウンサーが告げる事実を聞くことになった。加地を乗せたバスは、崖《がけ》を転げ落ちたのだそうだ。激しく降り続いた雨のせいで川沿いの道が崩れていたことに、運転手が気付かなかったらしい。バスは崖を数十メートルほど転がり、川に落ちた。同時に、加地は人生から落ちた。

夜空を見るたびに、僕は加地のことばかり思い出す。

加地の恋人だった奈緒子と付き合い出したのは、あいつが死んで一年近くたったころだった。僕の方から、奈緒子に近づいたのだ。親友の恋人を、僕は奪った。加地から盗んだ。加地がもうこの世にいないことなんて関係ない。奪った、と僕は感じている。盗んだ、と思っている。そういうのは理屈ではなかった。

僕は夜空に顔を向けながら歩いた。前をまったく見ていないので、車が来たら轢《ひ》かれてしまうかもしれない。身体《からだ》の芯《しん》の方から震えがわき上がってくる。手も足も……とにかく体中がぶるぶる震えた。もちろん、それは寒いからだ。他に理由なんてあるわけがない。うすぼけた星を見つつ、僕はひたすら歩き続けた。ずいぶん低いところに雲があって、強い風に流されているものだから、まるで星の方が動いているように見えた。もちろん星は動いていない。動いているのは、雲の方だ。

ジムを出る際、山崎先輩が口にした言葉が蘇《よみがえ》ってきた。

「おまえ、どうして殴ってこないんだ」

すぐには意味がわからなかった。

「え？」

僕はきっと間抜けな顔をしていたと思う。

山崎先輩は少し迷ったあと、今度ははっきり言った。

「おまえ、本気で殴ろうとしてないだろう」

「そんなことは……」

「わかるんだよ。いくら下手くそでも、バカみたいに殴ってきたら、一発や二発は当たるさ。俺だって、まだそんなにうまいわけじゃないからな。だけど、当たらないだろう。おまえ、ガードもろくに固めてないじゃないか。わざと殴られてるようにしか思えないんだよ」

山崎先輩は真剣な顔をしていた。

「だから、辞めろって言ったんだ。こっちだって、殴られに来てるような人間を殴りたくないからさ。俺だけじゃない。他の人も、トレーナーも、みんなそう思ってる。おまえはボクシングをしに来てるわけじゃないだろう。誰かに殴られに来てるんだろう。川嶋、おまえ、本当は誰に殴られたいんだよ」

まったく意地悪な人だった。山崎先輩は、僕と奈緒子のことを、奈緒子と加地のことを、加地と僕のことを、全部知っている。なのに、そんなことを尋ねてくるのだ。僕は答えられないまま、立ち尽くした。いっそすべての思いをぶちまけてしまえば楽だったのかもしれない。山崎先輩はちゃんと聞いてくれただろう。茶化したりする人じゃないんだ。

何人かの通行人が僕たちの脇を過ぎていった。中には僕たちをじろじろ見ていく奴《やつ》もいた。僕と先輩が喧嘩《けんか》でもしてると思ったのかもしれない。

結局、僕の答えを聞かないまま、山崎先輩は去っていった。

僕はしばらく、じっとしていた。意地悪で優しい山崎先輩の背中が闇《やみ》に消えてしまうまで、そこに立っていた。先輩は、なにもかもわかってるからこそ、あんな意地悪なことを言ったのだろう。先輩なりの、手荒い励ましってところだ。

「しょうがないんですよ、山崎先輩」

夜空を見上げながら、僕は呟《つぶや》いた。

「殴って欲しい奴は、もういないんです」

運がいいのか悪いのか、一台の車にも遭遇せず、僕は奈緒子の家に着いていた。彼女はこの一戸建てにひとりきりで住んでいる。彼女の顔を見たかった。下らない冗談を言って、彼女を怒らせたかった。彼女の温《ぬく》もりや匂《にお》いに癒《いや》されたかった。そんなふうにして、僕は今も加地を裏切り続けているのだった。

もしかすると奈緒子も同じ思いを抱えているのかもしれない。

目の前のドアを開けると、そこには布団《ふとん》が敷いてある。なぜか奈緒子はずっと玄関で寝ているのだ。一度理由を尋ねてみたことがあるけれど、奈緒子は黙り込んでしまった。答えるのを拒んだわけではない。奈緒子自身にも理由がわからないのだ。黙り込む奈緒子の、あの不安な瞳《ひとみ》を見たら、僕はもうなにも言えなくなってしまった。責めることも、問いつめることもできなかった。ただ受け入れるしかなかった。たぶん、この世の中には、間違いなんていくらでもあるんだ。ありふれていると言ってもいい。だから、恋人が玄関で寝てることなんて、たいした間違いじゃないんだ。

言い聞かせながら、玄関チャイムを押した。

古臭いピンポーンという音が、家の中で三回響く。音を聞きながら、僕は一枚の絵葉書のことを思い出していた。僕の部屋にある学習机の、上から三番目の引き出しに、それは入っている。いかにも南国という感じの青い空が映っている絵葉書だ。事故に遭う直前、加地が送ってきたものだった。

その絵葉書のことを、書かれていた内容を、僕は奈緒子に話していない……。

やがて足音が聞こえてきて、ドアが開いた。奈緒子だと思い、すぐに抱きしめようとしたけれど、意外な状況に固まってしまった。

奈緒子ではなかった。

知らないオジサンが、玄関に立っていた。

第三章　彼と父親

リビングの方から、男の人の声が聞こえてくる。キッチンにいるわたしには、話の内容まではわからないけれど、けっこう和気藹々《あいあい》とやっているらしい。それにしても、父親と恋人の初対面がこんなに早く訪れるとは思わなかった。もっとも、お父さんたちは九州にいたから、そもそも紹介するつもりなんてなかったのだけれど。

意外な展開に少しばかり戸惑いつつ、そのことから目を逸《そ》らすため、わたしは料理に没頭した。タマネギをみじん切りにしたり、ニンジンの皮を剥《む》いたりしていると、よけいなことを考えずにすむ。

リビングを覗《のぞ》き込むと、ふたりはテーブルで向かい合って座っていた。

「ねえ、もうちょっと待ってね」

ヘラを持ったまま、わたしは大きな声を出した。

「あと十分くらいかかるから」

お父さんが、

「わかった」

と肯《うなず》き、

「おう。ゆっくりやっていいぞ」

と巧君が言った。

直後、巧君はやばいという顔をした。お父さんがいることを忘れ、いつものような口調で応じてしまったらしい。それから巧君は恐る恐るお父さんの様子を窺《うかが》っていた。本人はさりげなくやってるつもりなのだろうが、バレバレだった。お父さんだって、もちろん気付いているはずだ。巧君はどうしてあんなにバカ正直なんだろう。もっとも、それが彼のいいところでもあるのだけれど。

ありがたいことに、お父さんは気付かない振りをしてくれた。

「こっちはこっちで楽しくやってるから、ゆっくり作りなさい。娘が夕食を作ってくれるのを待つのは、悪くないものだよ」

缶ビールを持ち上げ、そんなことを機嫌良さそうに言う。

巧君も慌《あわ》てて満面の笑みを浮かべながら、同じように缶ビールを持ち上げた。ああ、なかなか大変そうだ……。

頭が痛くなってきたので、さっさと逃げることにした。

「缶ビール、まだあるから。足りなくなったら、取りに来てね」

そう言って、キッチンに引っ込んだ。


巧君が家にやってきたのは、ちょうど夕食の準備に取りかかったころだった。ひとりきりで住んでいるときは、外で食べたり、お弁当を買ったりしていたけれど、お父さんが来たとなると、そんなことをしているわけにもいかなかった。それに、わたしは料理が嫌いではない。ひとりだと作り甲斐《がい》がないから作らないだけだ。せっかく手間をかけて作っても、誰も食べてくれないのではつまらない。

もちろん巧君がうちに来るときは、思いっきり腕を振るった。彼はなんでももりもり食べてくれるので、作り甲斐はたっぷりとあった。

どういうことなのかはっきりわからないけれど、お父さんはこちらに戻ってきてから、ずっと家にいる。錆《さ》びついた自転車のチェーンに油を差したり、立てつけの悪くなったサッシを直したりしていた。今日は鼻歌を歌いながらデッキのペンキ塗りに励んでいた。そのせいでペンキの匂《にお》いが少しだけ家の中に漂っている。とにかく、お父さんが仕事に行く気配はまったくなかった。

お父さんが来た翌日に、

「仕事はいいの？」

と尋ねてみたところ、

「まあ、いいんだ。しばらく休むから」

なんて答えが返ってきた。

有給を取っているのか、辞めてしまったのか。家出してきた、とお父さんは言った。お父さん、家出してきたんだ、と。もっと詳しく聞きたかったけれど、やめておいた。一度踏み込んでしまったら、他のことも聞かなければいけなくなってしまう。

そんなふうに気を遣ってるのは、わたしだけではなかった。

玄関で寝ているわたしに、お父さんはなにも尋ねてこない。まるで当たり前のことであるかのように振る舞っている。お父さんの態度は明らかに不自然だったし、そういうのが面倒臭く感じられることもあったけれど、だからといってはっきり尋ねられるのは嫌だった。

きっとお父さんだって同じなのだろう……。

一緒に住んでいるのに、わたしたちのあいだには、埋めがたいなにかがあった。埋めてはいけないなにかだった。埋めないからこそ、一緒に暮らしていられるのだった。

いろんなことを考えながら、茹《ゆ》で上がったカボチャをざくざくと切った。カボチャのサラダを作るつもりだった。ふわりとした湯気と一緒に、カボチャの匂いが立ち上ってくる。甘くておいしそうな匂いだ。カボチャの下処理を終えると、次にピーマンを細かく刻み、タマネギを薄くスライスする。それから茹で卵の殻を剝いた。茹ですぎたかもしれないと心配していたのだけれど、黄身はちょうどいい感じで固まっていた。作っている人間の役得だと思いつつ、黄身を少しだけ齧《かじ》ってみた。うん、おいしい。ちょうどいい柔らかさだった。全部をボウルに放り込み、マヨネーズであえる。

最後に塩胡椒《こしょう》で味を調えていると、巧君がやってきた。

「ビール、貰《もら》えるかな」

「ちょっと待って」

冷蔵庫を開け、缶ビールを二本取り出す。お父さんが家に戻ってきてから、当たり前のようにお酒が冷蔵庫の中に鎮座するようになっていた。

「二本でいい?」

「とりあえず」

缶ビールを受け取った巧君はすぐに立ち去らず、微妙な視線でわたしを見てきた。

「大変ですか?」

あえて丁寧な口調で尋ねてみる。

うす、と巧君は体育会系っぽい感じで肯いた。

「でも楽しいっす」

「本当に？」

「お父さん、いい感じじゃないか。けっこう気さくだし。だけど焦《あせ》ったよ。まさか、お父さんが来てるとは思わなかったからさ。それにしても、タイミング最悪だよな。この髪で、この顔だものな」

巧君は泣きそうな顔で天を見上げた。大げさだけれど、そういう仕草がちっとも嫌みじゃないのが、巧君のいいところだった。

わたしはくすくす笑いながら言った。

「派手にやったね」

「髪？　顔？」

「両方」

三日ぶりに会った恋人は、まったく変わってしまっていた。真っ黒だった髪は見事にブリーチされて金色になっているし、顔は腫《は》れ上がって、右目の脇《わき》と唇の端に痣《あざ》がついている。いかにも喧嘩《けんか》してきたばかりの不良という感じだ。彼の髪に触ってみると、前より少しパサパサしていた。トウモロコシの髭《ひげ》みたいだ。

「髪は姉ちゃんのせい。顔は山崎先輩のせい」

「どちらも頭が上がらない人だね」

「そうなんだよ。だから文句も言えない」

巧君はサラダボウルに手を伸ばすと、カボチャをひょいっと口に入れた。そして顔をしかめ、うう、と呻《うめ》いた。

「痛ってえ。でもうまいな」

「口の中も切ったの？」

「ぼろぼろだよ」

「ビールは大丈夫？」

「駄目。痛くて死にそう」

けれど、巧君は痛い痛いと言いながらも、またカボチャを食べた。食べっぷりが見事だ。大きな塊を、ぐわっと口を開けて放り込み、もぐもぐと噛《か》む。体を動かすことがあまり好きではないわたしからすると、巧君のこういう豪快さはすごくおもしろかった。シャツの袖《そで》をまくり上げているせいで、たくましい腕が見えた。彼が手を動かすたびに、骨格を覆《おお》う筋肉が滑らかに盛り上がる。

「でもまあ、奈緒子《なおこ》のお父さんが相手じゃ断れないからな」

「そういうもの？」

「そういうもの」

言ったあと、ドアの方に体を傾け、巧君はリビングの様子を窺った。そしてすぐに顔を引っ込めると、顔を近づけてきた。そっと唇を合わせる。お父さんがそばにいるのに、キスをかわした。

ちょっと嬉《うれ》しくて、ちょっと恥ずかしかった。

こういうことが平気でできてしまうのも、巧君のいいところだ。

「飯、早く作ってくれよ。腹減ってんだ」

「うん、もうすぐだよ」

「俺さ、奈緒子が料理上手で本当によかったと思うよ。やっぱり飯がうまいのって大切だよな。夕食が充実してると、それだけで一日が幸せだからさ」

そんな言葉を残して、巧君はリビングに戻っていった。思ったことを口にしただけなのだろうけれど、だからこそ嬉しかった。

巧君がリビングに戻ってすぐに、お父さんと巧君の笑い声が聞こえてきた。どうやら昼間録画しておいた野球中継のビデオを観《み》てるらしい。あ、いった、これはいったぞ、バックスタンドだ、とお父さんがはしゃいだ感じで叫んだ。いきましたよ、すごいっすよ、ホームランですよ、と巧君も大きな声を上げていた。

わたしは笑ってしまった。

実のところ、巧君は野球になんてまったく興味がない。高校のときはサッカー部だったし、今でもJリーグの試合は観に行くけれど、野球のことは話題にさえしない。ろくにルールも知らないはずだった。それなのに、お父さんに合わせて、楽しそうに野球を観ているのだ。

「健気《けなげ》だなあ、巧君」

他人事《ひとごと》のようにそんなことを呟《つぶや》きながら、わたしは料理の準備を進めた。サラダができてしまったら、あとはメインの刺身だけだ。魚というのは、包丁を入れるとすぐに鮮度が落ちてしまう。だから刺身を切るのは最後の最後だ。

今日買ってきたばかりのハマチのサクを、冷蔵庫から取り出した。しっかり脂《あぶら》が乗っていて、見るからにおいしそうだ。包丁を入れると、刃についた脂がぎらぎら光るくらいだった。

加地君に食べさせてあげたいな……。

当たり前のように、思っていた。生魚はほとんど駄目だったくせに、加地君はなぜかハマチだけは食べられた。だから、わたしはよくハマチを買ってきた。そして一緒に食べた。うまいうまい、と加地君は繰り返したものだ。食の細い加地君がたくさん食べてくれるのが嬉しかった。

ハマチの最後の一切れを、加地君はいつもわたしにくれた。

加地君は言ったものだった。

「夕食を作ってもらったお礼」

冗談っぽい口調は、照れ隠しだったのだろう。

わたしは頭の中からいろんなものを追い出しながら、ハマチを切り続けた。それでも追い出しきれず、考えてしまっていた。もう加地君はいないのに、ハマチばかり買ってしまうのはどうしてなのだろうか。

ぴりっとした刺激が、人差し指の先に走った。

「痛い……」

包丁で指を切ったのかと思ったけれど、よく見ると細い棘《とげ》が刺さっていた。皮膚の下にまで入り込んでいて、刺抜きでも取り去るのは無理だ。昼間、木製のベンチに座ったとき、刺さったものだった。

今朝起きたとき、なんだか少し気持ちと体が重かった。特に思い当たる理由はなかったけれど、たまにそういう日があるのだ。冬にしては強い日差しが、磨《す》りガラスをぼんやりと夢のように輝かせていた。光の強さに惹《ひ》かれて玄関ドアを少しだけ開けてみたところ、隙間《すきま》から暖かな空気が流れ込んできた。ドアに切り取られた細い空の青はまだ冬なのに、流れ込んでくる空気に鋭利さはなく、それは近づきつつある春を感じさせた。季節とは、律儀《りちぎ》なものだ。わたしたちがどんな場所に立っていようが、それでもゆっくりと確かに近づいてくる。冬が過ぎ、春が来て、春もやがて過ぎ去り、今度は夏が来る。夏のあとは秋だ。加地君が死んだ秋。そうして季節が巡り、加地君はそのたびに遠ざかっていってしまう。一年半か、と空に呟いてみた。長いのか短いのかよくわからない時間だった。

そんなことを思っていたら、ふと出かけたくなった。準備を手早くすませ、化粧はまったくせず、大きめの帽子を深くかぶって外へ出た。あまり使ってない自転車は少し前までチェーンが錆びついていたけれど、お父さんが手入れしてくれたおかげですっかり乗りやすくなっていた。途中にあるショッピングセンターでお弁当を買って、長くゆったりと左に曲がっている坂を下った。

カラカラと車輪が軽やかに鳴る。暖かい空気が風となってわたしに押し寄せてくる。

自転車が、わたしが、空気の塊に突っ込んでいく。

坂を下りきったところで、川沿いの遊歩道に入った。

川縁《かわべり》に生えている草がほとんど枯れてしまっているせいで川の流れがよく見えた。幅が十メートルくらいの小さな川で、わたしが小さいころはドブのように汚れていたけれど、ここ何年かで急に水がきれいになり、今ではカワセミもいる。一度、そのコバルトブルーの背中を見かけたことがあった。カワセミの小さな身体《からだ》は、すいっと水の上を飛んでいった。羽ばたいてる感じもしないくらい滑らかで、姿が見えていたのはほんの一瞬だった。見た瞬間はなにかわからなくて、姿が消えてしまってから、ようやくカワセミだったことに気付いた。

今日もカワセミがいないだろうかと思いながら遊歩道を進んだけれど見つけられなかった。もしかするとこの季節にはいないのかもしれない。やがてベンチを見つけたので、自転車をそばにとめ、そこでお弁当を食べた。

四百八十円で買ったお弁当は味が濃くて、卵焼きはやたらと甘かったし、きんぴらごぼうは辛かった。

一緒に買ったペットボトルのお茶をたくさん飲んだ。

そうしてお弁当を食べてしまうと、特にすることもなく、ぼんやりと目の前の風景を眺めた。

川の流れというのは、いいものだ。

いつまでも見ていられる。

顔を上げると、対岸には大きな木が森を作っていた。ほとんどが針葉樹らしく、冬なのに緑がとても濃くて、まるで緑の雲のようだった。その向こうに、わたしが子供のころに建てられたマンションがあった。高さが二十階くらいある、わりと大きな建物だ。緑の雲に建物が乗っているように思えた。しばらくするとジャージ姿の高校生がたくさんやってきた。若い気配を辺りに撒《ま》き散らしながら、わたしの前を通りすぎていった。一所懸命走っているわけではなく、かといってふざけているわけでもなく、楽しそうに話しながらもちゃんと足は動かしている。背後にある高校の生徒だろうか。

そう思った途端、校内から響いてくる声に気付いた。

今までまったく意識しなかったのに、ひとたび気付いてしまうと、声はけっこう大きく聞こえていた。体育の時間なのだろうか。テニスボールを打つ音や、掛け合う声が響いてくる。振り返ってみると、塀と林の向こうに少しだけ校舎が見えた。学校をもっとよく見ようとして体を動かした瞬間、ベンチの背を滑らせた左手にかすかな痛みを感じた。木の表面がささくれていたところに触ってしまったらしく、棘が指先に刺さっていた。小さくて黒いものが、薄い皮膚の下に沈んでいる。異物が体に入り込んだというのに、違和感はほとんどなかった。けれど、ふと、なにかの拍子に痺《しび》れるような痛みを感じた。

抜くことも忘れることもできない棘の存在を感じつつ、ふたたび校舎に目をやった。元は白かったであろう壁は、雨だれのような汚れで灰色になっていた。大きな国道が近くを走っているから、その排気ガスのせいなのだろう。隣にある体育館の赤い屋根だけが鮮やかだ。校舎の屋上でゆっくりまわっている大きな風車は風速計だろうか、それとも発電機だろうか。あんなに大きな風車があったなんて知らなかった。その三枚の白い羽根は、くるくると同じ調子でまわりつづけていた。わたしが卒業してから設置されたものに違いない。

それは、わたしたちが……わたしと加地君と巧君が通った学校だった。

目を閉じると、今でも成田空港を飛び立っていく彼の姿が浮かぶ。周りの日本人旅行者はそれなりに小綺麗《こぎれい》な格好をしているのに、加地君はすっかり色褪《いろあ》せた長袖Tシャツと、やっぱり色褪せたハーフパンツという格好だった。ひょろりとした体で、ひょろりと立っていた。荷物はぼろぼろのバックパックひとつきり。かぶってる帽子は擦りきれていて、まるで雑巾《ぞうきん》を頭に載せてるように見えた。空港にいる誰よりもみすぼらしかった。その姿は空港という華やかな場所からは明らかに浮いていて、彼のことをじろじろ見ながら通りすぎていく乗客が何人もいた。

「二、三週間で帰ってくるからさ」

旅立つ前からすでにぼろぼろの加地君は、わたしにそう言った。

「待っててよ。おみやげを買ってくるよ」

うん、とわたしは肯《うなず》いた。

彼が去っていくとき、お互いに手を振り合った。笑いながら彼は手を下ろし、体の向きを変えて早足で歩き出した。搭乗の時間が迫っていたのだ。背中に振っていてもしかたないので、わたしも手をだらんと下ろした。その力が抜けた感触がなぜかひどく寂しかった。いつまでも手を振り合っていたかった。

わたしと加地君は幼馴染《おさななじ》みで、小学生のころからお互いのことを知っていた。彼は五年生までクラスで一番のチビだった。すばしっこくて、リスみたいな男の子だった。深い溝に落ちて泣いたことがあった。中学の体育祭をさぼったことがバレて、先生にビンタされた。ビンタのあと、悔しさで泣きそうな顔になった。そのことをずっとクラスメイトたちにからかわれ、いつも恥ずかしそうな顔で怒っていた。何度言われても同じように恥ずかしそうな顔をするものだから、延々とからかわれ続けた。

加地君と付き合うことになったのは、高二の文化祭最終日だった。

そのとき、わたしは科学部が展示に使っていた物理生物学教室にいた。なぜ物理生物学教室にいたのかよく覚えていない。わたしは物理も生物も苦手だった。科学部の展示になんて、まったく興味がなかった。騒がしい校内を適当に歩いてたら、たまたまたどりついてしまったのだろう。

物理生物学教室には、なにに使うのかさっぱりわからない機械がいくつも置いてあって、ただひたすらつまらなかった。

それで教室を出ようとしたら、

「プラネタリウムを上映しまーす！」

という声が聞こえてきた。

物理も生物も興味なかったけれど、わたしは声の方に歩いていった。プラネタリウムそのものではなく、きれいな言葉の響きに惹かれたのだった。物理生物学教室の奥に直径三メートルくらいのドームがあって、前に加地君が立っていた。ようやく、わたしはさっきの声の主が加地君であることに気付いた。

本山、と加地君がわたしの名前を呼んだ。

「ついでに観ていけよ」

「加地君、科学部だったんだね」

わたしはドームを見上げながら言った。ものすごく大きな傘が天井からぶら下がっているという感じだった。巨大傘の縁には厚い暗幕がスカートみたいにつけてあって、床にまで垂れている。なかなかすごい。これはけっこう本格的じゃないですか。

「知らなかったのか」

「うん。知らなかった」

「前に言ったぞ」

ちょっと拗《す》ねたような感じで、加地君が呟いた。そのころ加地君の前髪はやけに伸びていて、もともとうつむく癖のある人だったから、彼の目が見えなかった。それで彼が本気で拗ねているのか、洒落《しゃれ》で拗ねているのか、判断しかねた。どう対応していいのかわからず曖昧《あいまい》に笑っていたら、彼が顔を上げた。彼の目は、悪戯《いたずら》っぽく笑っていた。子供のころとなにも変わらない、きれいな黒い瞳《ひとみ》だった。たぶん、その瞳を見た瞬間から、わたしは彼に惹かれ始めていたのだと思う。

「俺がナレーションやるんだ」

「加地君が？」

意外だった。加地君は地味でおとなしい人だ。人前でたくさん喋《しゃべ》るタイプではない。

そんなわたしの声の響きは、加地君にちゃんと伝わったみたいだった。

「嫌だって言ったんだけど、おまえの声が一番聞き取りやすいからって」

「ああ、加地君の声って確かに聞きやすいよね」

「俺にはそうは思えないんだけど」

「自分の声って、違うふうに聞こえるんだよ。ほら、自分の声は、自分の体を伝わって聞こえてくるでしょう」

ふうん、と加地君は唸《うな》った。

「おもしろいな、それ」

「え、どういうこと」

「なんだか深い意味にも取れるよな。自分がそうだと思ってる自分と、周りが思ってる自分は違うっていうか」

「当たり前だよ、そんなの」

「うん、まあな」

肯いたものの、それでも加地君はなにか考え込んでいる。わたしにはどうでもいいと思えるようなことを、加地君はいつも考えていた。時には一週間も二週間も、あるいは一カ月も考え続けて、ある日いきなり「この前のことだけどさ」という感じで話を切り出してくるのだった。そのころには、わたしはそんな話題があったことさえもすっかり忘れていたから、加地君の根気強さというか、動かなさっぷりにびっくりしたものだった。

「おい、加地」

暗幕の中から、坊主頭《ぼうずあたま》の男の子がひょこっと姿を現した。なんとなく顔だけは知ってる人だった。わたしがいることに気付いた彼は、軽く会釈《えしやく》してきた。わたしも同じように頭を下げておいた。

坊主頭君は加地君に、

「もう始めるぞ」

と言って、すぐドームの中に引っ込んでしまった。

加地君はドームを指差した。

「まあ観《み》てけよ、本山」

「うん」

当たり前のように肯いていた。わたしはプラネタリウムを観たかった。ドームの中にある暗闇《くらやみ》や、ちっぽけな人工の星や、加地君の低い声に惹《ひ》かれていた。ドームに入ると、ランタンみたいな形をした照明が、中央で淡く輝いていた。その光を受けて、丸い物体がぼんやりと見えた。あれがプラネタリウムの本体なのだろう。人の上半身くらいの大きさだ。すぐそばに加地君が立っていた。横顔に光が当たって、切れ長の目や、筋の通った鼻や、少し尖《とが》った頰骨がよくわかった。やがて加地君がわたしの視線に気付き、恥ずかしそうに笑った。これはそうとうあがってるな、とわたしは思った。笑い方がいつもと違っていた。大丈夫かな。失敗しないかな。だいたい加地君にナレーションなんてできるのだろうか。それにしても、加地君がどうしてわたしを誘ったのか不思議な気がした。ナレーションをやるのを恥ずかしがってたわけだから、知り合いのわたしが観ることを、シャイな加地君なら嫌がりそうなものなのに。

小さな天球の中には、十人ほどのお客さんがいた。パイプ椅子《いす》に窮屈そうに腰かけながら、きょろきょろと辺りを見まわしている。わたしは端っこの方の席に腰を下ろし、ずっと加地君を見ていた。

「じゃあ、始めます」

加地君が言った途端、照明が消え、完全な暗闇が訪れた。自分の手も見えないくらいの闇だった。一年生っぽい女の子たちが、あ、真っ暗だね、ほんとだね、とはしゃ

そのふたつの、相反するものが、彼のほっそりした体の中でせめぎ合っていることが感じられた。

ああ、確かに加地君はそういう人だ。幼いころの記憶が蘇《よみがえ》ってきた。

加地君はきっと生きることを怖がっている。未来に怯《おび》えている。わたしたちがみんな、そうであるように。けれど加地君は同時に、世界やら未来やら運命やらに屈しないなにかも持っている。とても辛《つら》く苦しい状況に陥ったとき、加地君はきっと泣くだろう。人前ではなく、誰もいない部屋でたくさん泣くのだろう。けれど、泣き終わったあとは、辛く苦しい状況をどうにかしようとする。簡単には諦《あきら》めないし、逃げない。

小学校五年生のとき、加地君が溝に落ちたことがあった。とても深い溝で、十一歳の子供にとっては、ちょっと洒落にならない事故だった。溝に落ちた加地君は、しばらくその底で泣いていた。自力で這《は》い上がることを諦めていた。それでも、彼は結局、自力で這い上がろうとした。今までも、今も、そしてこれからも、彼はあんなふうに生きていくのだろう。

闇の中、わたしは自分の右手を意識した。

小学校五年生のわたしがそこにいた。

ゆっくりと星空は動いていった。きらびやかだった夏の星座は西の地平線へと傾き、少し寂しい秋の星々が昇ってくる。それにしてもおもしろいものだ。夏の星座は明るい星が多いし、形もわかりやすい。なのに、秋はいきなり地味になる。偶然なのだろうけれど、季節のイメージとよく合っていた。

「ここに星が四つ、ボックス状に並んでいますね。これがペガスス座、つまり天馬の胴体になります。こっちが頭で、逆方向の足に見える星の並びは、実はアンドロメダ座という別の星座です。そのアンドロメダ座の真ん中くらいに、ぼんやりしたものがあります。この辺りです」

ポインターの指す先で、なにかが淡く光っていた。

「これが有名なアンドロメダ大星雲です。僕たちの住む銀河系から一番近い銀河で、つまりお隣さんというわけです。ここら辺だと空が明るすぎて無理ですが、ちょっと田舎の方に行けば、このプラネタリウムと同じように、肉眼でも見つけることができます」

このころには、わたしはもう彼の説明をあまり熱心に聞いていなかった。ただ彼の声の響きに、流れに、浸っていた。それだけですごく心が落ち着いた。そして少しびっくりしてもいた。こんな存在が、こんな近くにいたのだ。声からわかる加地君の強さ、弱さ、不安、決意……そういうなにもかもにわたしははっきりと惹かれていた。

誰も彼もがやたらと惚《ほ》れっぽいギリシャ神話の登場人物のように、わたしの心も大きく動こうとしていたのだ。

「さて、最後に予定外のプログラムですが、牡羊座《おひつじざ》の説明をします」

あ、と思った。

牡羊座はわたしの星座だった。

本当に予定外だったらしく、さっきの坊主頭の男の子が、「おい、加地、なんだよ」と慌《あわ》てて囁《ささや》く声が聞こえてきた。星空が右に左に動き、そうしてしばらく迷ったあと、ゆっくりとまわって、一分くらいしてからとまった。

加地君の声がふたたび天球内に響いた。

「秋の夜空に戻ってきました。牡羊座は見つけにくい星座です。だいたいこの辺りにあるんですが、どうしてこれが牡羊座なのかすぐにはわかりませんよね」

自分の星座だけれど、実際に星の並びを見るのは初めてだった。そしてそのあまりの地味さに、わたしはがっかりした。明るい星なんてひとつもないし、どう星を繋《つな》げても、牡羊の形にはならない。加地君がポインターで示してくれた星の並びは、ただのかぎ針のようにしか見えなかった。

どうせなら、牡牛座くらい派手な星座がよかった。

中盤くらいで加地君が説明してくれた牡牛座は、明るい星がいくつもあったし、形もわかりやすかったし、肩の辺りには有名な昴《すばる》があったのだ。

わたしの心を見透かしたように、加地君が言った。

「みなさんの中には、牡羊座の方がいて、がっかりしてるかもしれませんね。確かに牡羊座は地味な星座です。でも、実はすごい星座なんです。ギリシャ神話では、牡羊座というのは黄金の羊のことです。そして、ギリシャ神話でもっとも偉い神様である、ゼウスの化身であるとも言われています。たとえ見かけは地味でも、本当はすごい星座なんです」

このとき、加地君はたったひとりに向かって話しかけていた。なぜならプラネタリウムのうっすらとした光に浮かび上がる加地君の輪郭は、明らかにわたしの方を向いていたからだ。彼はわたしが牡羊座だと知ってるんだ。

「あと、これは本当かどうかわかりませんが、牡羊座は富の象徴なので、牡羊座の人は将来大金持ちになれると言われています」

ちょっと冗談っぽい感じで、加地君はそう言った。わたし牡羊座だったらよかったなあ、と誰かの呟《つぶや》く声が聞こえた。くすくす笑い出してしまいそうになるのを堪《こら》えながら、わたしは同時に誇らしい気持ちになっていた。わたしは地味だけれど、本当はすごくて、将来お金持ちになれる牡羊座なのだ。

「牡羊座にはもうひとつ、すばらしい特徴があります。実は牡羊座は年に一度、大きな流星群の基点になるんです。流星群というのは、流れ星が短い期間にいっぱい流れるってことです。ただ、牡羊座流星群は昼間に流れるので、目には見えません。でも、僕たちの目には見えてないだけで、本当はものすごくたくさんの星が流れているんです。僕は知ってます。たとえ星座自体が地味でも、流星群は見えなくても、そのすばらしさを僕はちゃんと知ってます」

わたしはよく、地味な方だと言われる。おとなしいね本山さんは、という感じで。小学校のころから一緒なので、もちろん加地君はそんなわたしの性格を知っているはずだ。加地君はなにを言いたいのだろうか……。

「牡羊座流星群がどういうふうに流れるのか、みなさんにお見せします。この流れ星マシンも僕たちの手作りです。僕と……僕の友達が作りました。今回が初稼働《はつかどう》なのでうまくいくかどうかわかりませんが、うまくいくことを祈ってください」

その直後、ものすごいことが起きた。天球を無数の流れ星が埋め尽くしたのだ。ひゅんひゅんと、音さえ聞こえてきそうな勢いで、星がいくつも流れていった。それは本当に見事な光景だった。ドームの中にいた誰もが、うわあ、と声を上げた。もちろんわたしも上げていた。

　やがて加地君がしゃがみ込んで腕を伸ばすと、星の流れ出す中心が牡羊座に移った。どうやら加地君が機械の方向を変えたらしい。牡羊座から、わたしの星座から、美しい星々がどんどん溢《あふ》れ出す。天球を埋め尽くす。

「ここでしか見えない牡羊座流星群です。昼間なので見えなくても、本当はこういうすばらしい光景があるんです。たとえ見えなくても、こんなふうに美しいって、僕はちゃんと知ってます」

　顔が熱くなってきた。

　暗闇だから、ありがたいことに、誰にも気付かれないけれど。

　そのとき、誰かが、

「流れ星に願いをかけよう」

　と言った。

「だけど、こんなに流れてるのに、どれにかければいいんだよ」

「ずっと流れてるんだから、適当に願えば、どれかが叶《かな》えてくれるんじゃない？」

「あ、そうだよな」

　誰もがこの光景に浮かれているらしく、あちこちから声が上がった。

「俺、三つくらい願いをかけよう」

「こんだけ流れてるんだから、全部叶うはずだものな」

「わたしは五つにしようっと」

そのちゃっかりした声に、みんなが笑った。まるで全員が昔からの友達であるかのように、親密な雰囲気がドーム内に満ちていた。

「じゃあ、どうぞ。たくさん願いをかけてください。その分だけ、星を流します」

加地君の声も笑っていた。

そして、そこにいた全員が、願いをかけた。ふざけていたわりに、誰もが真剣に願いをかけているらしく、さっきまでの笑い声は消え去って、しんとした静けさが続いた。わたしの願いはたったひとつだった。今までいろんな願掛けをしたけれど、考えてみれば恋の願掛けは初めてだなと思いながら、そっと目を閉じた。

またあのときのように手を合わせられますように、今度はもっともっと優しく合わせられますように――。

願いは、意外と早く叶った。後夜祭に開かれたお決まりのフォークダンスで、チャンスがいきなり巡ってきたのだ。踊っているときから、男の子の列に加地君がいることはわかっていた。わたしはずっと彼を気にしていた。加地君もチラチラわたしを見ていた。言葉はなにも交わしていなかったけれど、わたしたちは互いに意識し合っているのを感じていた。

けれど加地君は半周くらい先にいて、とても遠かった。

ほぼ正反対の位置だ。

オクラホマミキサー。マイムマイム。そんなお決まりの曲が流れていく。体育祭とかで子供のころから何度も踊ってきたので、怪しいなりにどうにか踊れた。一曲目が終わり、加地君が少し近づいた。二曲目が終わり、さらに近づいた。でも、まだまだ遠い。三曲目はコロブチカだった。少しずつリズムが速くなっていく曲で、けっこう大変だ。小学生のころ、先生に教えてもらった基礎動作の用語を思い出した。スタンプ。グライド。クロス。スイング。ピボット。スタンプは爪先《つまさき》で地面を叩《たた》くこと。スタンプを三回、右左右と決めたあと、時計まわりにその場で一回転して、コロブチカが終わった。

加地君はすぐそばまで来ている。あと一曲あれば十分だ。なのに、なかなか次の曲が流れてくれない……。

時間は八時くらいで、いつダンスが終わってもおかしくはなかった。ファイアーストームの火もすっかり盛りを過ぎている。わたしと加地君は、もう遠慮なしに、互いを見ていた。加地君は、終わっちゃうのかな、という顔をしていた。ちょっと悲しそうだった。そうだね、とわたしは彼に伝えたかった。このまま終わってしまうんじゃ悲しいよね。

ファイアーストームの揺れる火明かりが、加地君の右半身を赤く照らしていた。左半身は逆に、闇《やみ》の中にいる。炎と闇の両方に染まった加地君は、子供のようにも大人のようにも見えた。子供の繊細さを残しつつ、その体はすでに大人だった。

加地君の目に、わたしはどう映っているんだろう。

なかなか曲がかからない。

会場中が祭の終わりを意識し、ざわざわし始めた。わたしは泣きそうな気持ちになっていた。あと少しなのに……神様は意地悪だ……流れ星は願いを叶えてくれないのだろうか……。

やがて、ただ突っ立っていた加地君が、いきなり手をわたしの方へと伸ばしてきた。もちろん届くわけはない。なにしろ五メートルくらい離れたところにいるのだ。それでも、彼はわたしに手を伸ばしてくれた。その伸ばした手を、今度は胸の前に持ってくると、深々とお辞儀をした。オクラホマミキサーの最後にやるポーズだ。なにもかもが大げさな、それでいてちゃんと心のこもった仕草だった。彼が顔を上げると、わたしは両手でスカートをつまみ、膝《ひざ》を折り曲げながら、丁寧にお辞儀を返した。

絶え間なく揺れる炎と影の中で、わたしたちは微笑《ほほえ》み合った。さっきほど悲しくはなかった。加地君が、あの伸ばしてくれた手が、悲しみをどこかに追いやってくれたのだった。大丈夫だ。意味もなく思っていた。なにが、どうして大丈夫なのか、まったくわからないのに、わたしは確信していた。

「あ、始まるぞ」

誰かの声と共に、スピーカーが震えた。願いが叶ったのか、ただ係員が手間取っていただけなのかはわからないけれど、四曲目がスタートしたのだ。曲が一巡したらしく、またオクラホマミキサーだった。

手を繋いで、ステップを踏んで、ターンをして、お辞儀をして、次の人へ。あとふたり。あとひとり。そして曲が始まってから数回目のお辞儀をしたあと、顔を上げたら、そこに加地君が立っていた。ファイアーストームのせいなのか、他のなにかのせいなのか、顔がひどく熱くなった。オクラホマミキサーのメロディに身をまかせながら、わたしたちは手を合わせた。

流れ星はこんなにも早く願いを叶えてくれたのだ。

加地君の右手と、わたしの右手が、しっかり合わさる。小学校五年生のときとは違って、もっと優しく合わさった。わたしたちは互いの顔を見つめ、微笑んだ。

　最初に口を開いたのは加地君だった。

「まわってこなかったらどうしようかと思ってたんだ」

「うん、わたしも」

　右足でツー・ステップ。続いて、左足でツー・ステップ。

「まわってきてよかったな」

「うん」

　なぜかあまり言葉が出てこなかった。わたしは肯《うなず》いてばかりいた。

　あのときは、普段無口な加地君の方がよく喋《しゃべ》っていた。

「だけど、まわってくると、もうここで終わって欲しいな」

「うん」

「このままでさ。次の奴《やつ》に……」

　さすがに恥ずかしかったのか、加地君は続きの言葉を呑《の》み込んでしまった。けれど、なにを言おうとしたのか、はっきりわかった。次の奴に本山を渡したくない――。

「加地君、あのね」

考えて、言ったわけではない。ただ言葉が出ていた。

「プラネタリウムのこと、ありがとう」

「あ、うん。わかった？」

加地君の顔が真っ赤になった。

わたしの顔も、きっと真っ赤になっているんだろう。

「わかったよ」

それだけ言うのが精一杯だった。そして、それだけで十分だった。手を繋《つな》いだままくるりとまわり、わたしたちは向き合った。わたしは両手でスカートをつまんで、加地君は胸に右手を当てて、丁寧に、思いを込めて、お辞儀をする。お別れの瞬間がやってきたのだ。繋いだ手を離す少し前、わたしたちはぎゅっと握り合った。お互い、自然と手に力が入っていたのだった。そうして、わたしたちは別れた。

けれど、わたしたちは知っていた。
気持ちはずっと一緒なのだと。

それからの二年間、わたしたちの気持ちはずっと一緒だった。昼も、夜も、近くにいても、離れていても、わたしたちは互いのことを思い続けた。彼に電話をかけるときはいつも嬉《うれ》しかったし、彼からかかってきたときはもっともっと嬉しかった。手を繋ぐたびに、心が震えた。彼が笑ってくれると、わたしも笑えた。互いの温《ぬく》もりを確認するときは、本当に幸せな瞬間だった。何度同じことを繰り返しても、まったく飽きなかった。

彼の声。

彼の目。

彼の髪。

なにもかもが大切で、それらを守るためならわたしは世界が滅んでもかまわなかった。天秤《てんびん》の右側に加地君を載せ、左側に世界を載せたら、カタンと右側に傾いただろう。なんの迷いもなく傾いただろう。あんなにちゃんと人を好きになったのは生まれて初めてで、その初めての恋にわたしは夢中だった。彼がいればそれでよかったし、他にはなにもいらないと思っていた。

わたしは、確かに、心の底から、加地君を愛していたのだ。

愛していた、なんて恥ずかしい言葉だけれど、わたしはその言葉を使う。決してためらいはしない。誰かに聞かれたら、はっきり言うだろう。彼を愛していました、と。

加地君と過ごした二年間は、とても幸せな日々の連続だった。何年生きようと、どんな人と巡り会おうと、あんな時間は二度と訪れない。

そのことを、わたしも巧君も知っている。

幸せなこと。

そして――。

残酷なこと。

なかなか寝付けず、わたしはぼんやり天井を眺めていた。玄関で寝るようになってからというもの、たいてい眠りはすぐ訪れた。なのに、今晩に限って、目は冴《さ》えたままだった。顔の上に手を置くと、閉じたまぶたの裏で淡い光がちらちらした。追いかけてもその光をしっかり捉えることはできず、まるで逃げ水のように逃げていくばかりだった。

家の中には、賑《にぎ》やかな気配がちょっとだけ残っていた。晩酌相手を得たお父さんはずいぶんお酒を飲んだし、巧君も顔が真っ赤になるまで飲んだ。

巧君とお父さんは、ずっとスポーツの話をしていた。

「清原、どうなんですか？」

「駄目だな、清原は。西武で甘やかされちゃったんだ。でもいい選手だよ。もうちょっと努力すれば、すごい選手になったね」

「三十代後半とかですよね？」

「そう、三十八」

「三十八で現役ってのもすごいですね」

「うん、すごいんだ。本当にすごい選手になれたんだよ、清原は」

そんな感じで最初はずっと野球の話をしていたけれど、そのうち巧君がサッカーの方が好きなんだと感づいたお父さんは、話題をサッカーに切り替えた。こういうことを普通にやれるから、お父さんは出世できるのだろう。

「ほら、彼、なんて言ったっけな。フリーキックがうまい選手」

「中村ですか？」

「いや、そっちじゃなくて。もっとベテランの」

「あ、三浦淳宏《あつひろ》？」

「そうそう。三浦だ、三浦アツ。カズと同じ名字なんだよな。三浦って選手は、あれはどうなんだい」

「いい選手ですよ。でも、三浦、惜しかったんですよね。怪我《けが》しちゃって。その前だったら、世界でも通じる左サイドだったと思ってるんですけど。テクニックはあるし、キックもうまいし、フィジカルも強いし。でも怪我しちゃって」

「怪我か。スポーツ選手はそういうのがあるな」

「はい。しょうがないっすけど」

「三浦は辛《つら》かったんだろうな」

「でしょうね。辛かったと思いますね」

わたしはもぐもぐご飯を食べながら、ふたりの会話をひたすら聞いていた。男の人というのは、便利なものだ。スポーツの話題だけで、こんなに盛り上がれるのだから。当たり前だけれど、巧君とお父さんは全然違う。巧君はようやく少年から抜け出したばかりの青年だし、お父さんは五十一歳の立派な中年だ。それに巧君はわたしの彼氏だ。お父さんは、まあ、お父さんだ。つまり親だ。

そんなふうに、わたしから見たふたりは、まったく違う場所に立っている。けれど、ふたりとも、男の人という点ではぴったり重なっていた。スポーツの話ならいくらでもできるし、缶ビールをたくさん飲むし、漬け物を口に放り込むようにして食べる。家の中にふたりも男の人がいるというのは、なんだか不思議なことだった。

その不思議な気配が、まだ家の中に残っていた。

いつもと違う感じが、心地いいのか、心地悪いのか、よくわからなかった。あっさり受け入れてしまえば、たぶん心地いいのだろうけれど。

それにしても巧君はちゃんと帰れただろうか。

かなり酔っていたから心配だ。

ただ、なんとなくだけれど、巧君は大丈夫な気がする。どんなに酔っぱらっていても、危険な場所に出かけていっても、平気で帰ってきそうに思える。加地君とは、違うのだ。加地君はものすごく慎重なくせに、なぜか危なっかしい感じがした。交差点で信号待ちをしてるときでも、たまらなく不安になって、彼の腕を取ってしまうことが何度もあった。腕を組む振りをして、しっかりと彼を摑《つか》まえた。それはたぶん、加地君がいろんなことを考えすぎていたからなのだと思う。生きていくこと、自らが歩んだ道、押し寄せてくる未来……そんなことを彼はいつも確認していた。確認しても不安が増すだけなのに、それでも考え続けた。ゆえに加地君の足取りは常にふらついていた。生きることを恐れているみたいに危なっかしかった。巧君はそういう恐れを持っていない。生きるのが怖いとか、怖くないとか、考えもしないのだ。ゆえに巧君の足取りは、かえってしっかりしている。平均台を渡るとき、落ちるんじゃないかとびくびくしている人間の方が、落ちやすいのと一緒だった。

わたしが巧君と付き合うようになったのは、それが理由なのかもしれなかった。自分ではあまり意識したことがなかったけれど、加地君とは違うタイプを選んでいたのだろう。

そう、加地君みたいな人とは、もう付き合えない。

怖い。

手を伸ばしたら、ちゃんと触れられる人がよかった。なにも考えず、ただまっすぐ歩ける人でなければ、わたしは耐えられなかった。

ふと気がつくと、天井近くに嵌《は》め込まれた磨《す》りガラスが青く染まっていた。夜が明けかかっているのだ。いつの間にか、少し眠っていたらしい。たぶん、まだ五時とか六時だ。もう一度寝ようと思ったけれど、磨りガラスを染める青があまりにきれいなので、しばらくその青をぼんやりと眺めていた。なんとなく、加地君のことを思い出した。ああ、こういう色かもしれない。彼を色にたとえるなら、こんなふうに淡い青だ。巧君はもっと明るい色。鮮やかな黄色とか、南国の空みたいな青とか。

ふいに感情が波のようにやってきた。押し寄せては引き、また押し寄せて……そうしてわたしという砂浜を絶えず洗っていく。なぜ加地君は死んでしまったのだろう。どうして他の女の子と一緒にいたのだろう。本当はわたしがそこにいたかった。顔と名前しか知らない女の子のことが、心の中でぐるぐる渦巻く。彼女の華やかな笑顔を頭に浮かべながら、死んだ相手に嫉妬《しっと》してもしかたないと自分に言い聞かせてみたものの、唇を嚙《か》みたいような熱い気持ちが次から次へと溢《あふ》れてきた。それはどうしようもなく薄汚い感情だった。

まだ加地君の死を悲しんでいた方がいい。

こんなにも汚れた自分は嫌だった。加地君はあの女の子と話をしたのだろう。笑ったりもしたはずだ。加地君の声を、笑顔を、彼女に持っていかれてしまったように思えた。女性誌の見出しが、頭に蘇《よみがえ》ってくる。彼は最後まで彼女を守ろうとした——。そんなの嘘《うそ》だ。作り話だ。だってバスは急斜面を転げ落ちた。たとえ加地君が彼女を庇《かば》ったとしても、落ちたバスの中で最後まで抱き合ったままなんてあり得ないことだった。手を繫ぎ合って死んでいたなんて嘘だ。

考えても考えても、下らない気持ちがわき上がってくる。

尽きない。

そのことに呆《あき》れるし、戸惑う。

だいたい、あの女の子に嫉妬する資格なんて、わたしにはなかった。加地君を責めることもできない。わたしは今、巧君と付き合っているのだ。巧君と思いを重ね、肌を重ね、当たり前の日々を過ごしている。そんなふうにして、わたしは加地君を裏切り続けているのだった。

こういうことを、いったい何度考えればいいのだろうか……。

左手の親指で、人差し指の先を触ってみた。少し引っかかる感じがあった。刺さった棘《とげ》が出てきたらしい。そうして棘の先に触っていると、かすかに痛みを覚えた。心がざわつくような痛みだった。

やがてどすどすという足音とともにお父さんが二階から下りてきて、わたしが横たわっている脇《わき》を通り抜け、トイレに行った。

「あれ、奈緒子、起きてるのか」

二階に戻るとき、起きていることに気付かれた。

「うん」

厚い布団《ふとん》と毛布にくるまったまま、わたしは肯《うなず》いた。

「眠れないのか」

「寝てたんだけど、目が覚めたの」

「怖い夢でも見たのか」

子供に聞くようなことを、お父さんが口にしたのがおかしかった。

「そういうわけじゃないけど」

声に笑いが混じる。

お父さんも同じように笑った。

「奈緒子も、もう大人だものな」

「うん」

「だけどな、不思議なものだぞ、親ってのは。おまえも絵里もそうなんだが、まだ小学生くらいの気がするんだよな。思い浮かぶのは、そんなころのおまえたちなんだ。こうして一緒にいてもそうなんだ」

うんうん、とわたしは肯いた。

「友達の家にね、写真が飾ってあるの。たった一枚だけ、壁にかけてあるのね。彼女のお母さんが飾ったんだけど、彼女の小さいころの写真なの。今のじゃなくて。親って、そういうものなんだね」

「うん、そういうものだ」

お父さんは階段に腰かけた。その座り方には、大学で見かける同年代の男の子たちと同じ気軽さがあった。

「親なんてバカなものだ」

それからわたしたちはあまり喋《しゃべ》らず、ただぼんやりと空間を見つめていた。磨りガラスを染めていた青はだんだんと薄くなっていき、白の比率が増していった。加地君の色が消えてしまう。夜が押しやられ、朝が迫ってくる。新しい一日が始まるのだ。

「朝ってのは、なんだかわくわくするな」

お父さんが言った。

その感覚がよくわからず、わたしは尋ねた。

「え、なんで」

「だって、始まるのは楽しいじゃないか」

「そうかな」

「ああ、楽しい。そう思った方が、楽しい」

「お父さんって、前向きですよね」

丁寧な言葉で言ってみた。

けれど照れることなく、お父さんは言葉を続けた。

「お父さんは、そういう性格だからな。でも、言いたいことはわかるだろう」

「うん、わかるよ」

「なんでもいいんだよ。歩いてれば、なにか見つかるさ。こけて痛い思いをすることもあるだろうけど、それだっていい経験になる。立ち止まってる方が、お父さんはずっと辛い」

お父さんは、わたしが恋人を亡《な》くしたことを知らない。だから、今の言葉は、わたしのために言ったわけではなく、お父さんなりの実感なのだろう。

高校生のころは、お父さんやお母さんが違う生き物に思えた。ひどく身勝手で理不尽な存在だった。心を潰《つぶ》されるような経験をしたことも、一度や二度ではない。頼りたい気持ちと、疎《うと》む気持ちのあいだで、ずいぶん長く揺れ続けなければならなかった。けれど、今になってみれば、はっきりわかる。お父さんやお母さんもまた、わたしと同じように不完全な存在なのだと。

もちろん間違うだろう。

迷いもするだろう。

二十歳を少しだけ越えて、ようやくわたしはいろんなことがわかり始めていた。

「年を取るっていいね」

いきなりわたしがそう言ったので、お父さんは面食らったみたいだった。

「なんだ、急に」

「前はわからなかったことが、わかるようになるから」

「なんだかおもしろそうな話だな」

お父さんは身を乗り出してきた。

「マンガでね、エッセイ形式のマンガなんだけど、そういうの読んだことがあるの。そのマンガ家さんは猫をたくさん飼ってるんだけど、飼い始めるずっと前に、猫の餌《えさ》のことを友達と話してたのね。友達が猫を飼ってたから。でね、マンガ家さんが餌って言うたびに、相手が不自然な感じになるの。そのときは相手がどうしてそういう反応するかわからなかったんだけど、自分も猫と何年か暮らすうちに、わかったんだって。ずっと暮らしてると、猫も家族みたいに思えてくるから、餌って言い方に抵抗感が出るんだってことに」

「ああ、なるほど。奈緒子の食べてるものを餌って言われたら、お父さんは嫌な感じがするけど、そういうことか」

「うん、たぶん。そのマンガ家さん、書いてた。長く生きるのっていいなって。いろんな経験を積んで、少しずつ賢くなれるからって」

「おもしろいこと書くな、その人。日本のマンガは侮《あなど》れないな」

お父さんは大げさに感心したあと、そのマンガ家の本を何冊か貸してくれないか、と言った。

「いいけど、わたしが持ってるのは思いっきりの少女マンガだよ」

「それはなかなか厳しいな。お父さん、五十一のオジサンだし。少女マンガか。でも、そういうことを書く人のマンガだったら、読める気がする」

「じゃあ、明日出しておくね」

「ああ、頼む」

そしてお父さんは立ち上がると、階段を上り始めた。

その背中に向かって、わたしは言った。

「お父さん」

ん、なんだ、とお父さんは立ち止まった。

振り返ったお父さんは、確かにお父さんだった。子供のころ、こけたわたしを抱き上げてくれたお父さん。自転車の乗り方を根気よく教えてくれたお父さん。微積分をどうしても理解できなかったわたしに、ちょっと不機嫌になったお父さん。

いろんなことを思い出していたら、なぜ呼び止めたのかわからなくなってしまった。

「なんでもない」

そう言って笑うと、お父さんも笑った。

「なあ、奈緒子」

「なに」

「どうして玄関で寝てるんだ？」

「大好きだった人が死んじゃったの。それから、部屋で寝るのがなんだか嫌になっちゃって。ここだと、なぜかわからないけど、よく眠れるから」

そうか、とお父さんは肯いた。なにか言いかけて、その言葉を呑《の》み込んだ。

二秒か三秒、沈黙が続いた。

「お父さんも今度玄関で寝てみようかな」

やがてお父さんの口から出てきたのは、そんな言葉だった。

「奈緒子ほどじゃないだろうが、お父さんもちょっと辛《つら》いことになってるんだ」

励ますわけでもなく、慰めるわけでもなく……そのことにほっとした。

今ならきっと、尋ねてもいいだろう。

「お母さんとは大丈夫なの？」

「わからない。わがままを言ってるのは、お父さんだから。母さんにはわかって欲しいと思ってるんだが、もしかしたら駄目かもしれない」

「仕事のこと？　生活のこと？」

「どっちかって言うと仕事のことだな。ただ生活のことでもあるけど」

わたしたちのあいだにあるなにかが、そのとき、少しだけ埋まった。本当に、少しだけ。でも、これで十分だ。

「なかなかいいですよ、玄関」

「みたいだな。奈緒子、いつもぐうすか寝てるからな」

「……わたし、もしかしてイビキかいてる?」

「大丈夫。普通の寝息だから安心しなさい」

お父さんとこんなふうに話せるときが来るなんて、考えもしなかった。この、朝でも夜でもない空気のせいだろうか。

「玄関は、人が出ていく場所なんだよな」

「うん」

「でも、人が入ってくる場所でもある」

「うん」

「まあ、それだけだ」

「うん」

「もう少し寝なさい」

「うん」

「おやすみ」

「おやすみ」

階段を上るお父さんの足音を聞きながら、わたしは目を閉じた。玄関は人が入ってくる場所、そして人が出ていく場所——。

第四章　シュート

ベッドから起き上がった僕は、昨日と同じ服装だった。どうやら着替えもせずに寝てしまったらしい。窓から差し込む陽光とその影は、一日の半分がもう終わってしまったことを告げていた。

ちぇっ、飲みすぎたな……。

僕はそんなに酒が強い方ではないのだ。深酒すると、翌日が辛《つら》くてたまらない。体の芯《しん》まで酒が染《し》み通ってしまったような感じだった。それにしても、奈緒子《なおこ》のお父さんは酒が強かった。僕より飲んでたけれど、全然顔が赤くならなかった。確か九州出身って言ってたっけ。九州の人は酒が強いというのは本当らしい。

汗臭くなった長袖《ながそで》Tシャツを脱ぎ捨て、タンスから新しいのを出してかぶると、僕はあくびをしながら体を伸ばした。そして右腿《みぎもも》を上げて、腿の付け根からぐるりと外側にまわし、それが終わったら今度は左足で同じことを繰り返す。サッカー部時代によくやった柔軟運動だ。もう以前ほど高く足は上がらず、股関節《こかんせつ》も足首もすっかり硬くなってしまっている。

関節の可動域を広げろ。高校時代、サッカー部のコーチによく言われたものだった。可動域が広ければいろんなプレーができるようになるし、怪我《けが》もしづらくなる。サッカーだけの話じゃないぞ、川嶋《かわしま》。

コーチの声を思い出しながら、僕は柔軟運動を続けた。腿、膝《ひざ》、ふくらはぎ……順番に筋肉と関節を伸ばしたあと、最後に爪先《つまさき》を床につけて足首をぐるぐるまわす。バランスを取るため、机に手をかけた。小学校入学のときに買ってもらった机は、すっかり古びている。べたべた貼《は》ってあるシールはすべて色褪《いろあ》せ、剝《は》がしたあとはひどく汚らしい。落書きだっていっぱいある。椅子《いす》の背もたれは壊れてぐらぐらだ。下手にもたれかかると、後ろに倒れ込むことになる。

その椅子に腰かけると、右側にある引き出しの、上から三番目を開けた。携帯電話の契約書や請求書に紛れて、一枚の絵葉書があった。僕はそれを手に取り、まず写真の方をじっくり見つめた。真っ白な海岸に、やたらと透明な波が幾重にも押し寄せている。典型的な南国の風景だ。ひっくり返すと、少し右上がりの字が目に入ってきた。何十回も……いや何百回も読んだ文章を、僕はもう一度読み返した。どうして加地はこんなことを書いてきたのだろうか。

もし加地がちゃんと帰ってきたら、この絵葉書はただの笑い話になったはずだ。けれど加地は帰ってこなかった。

ゆえに、絵葉書は今、別の意味を持ってしまっている。

奈緒子に絵葉書のことを話すべきなのか、あるいはこのまま黙っておくべきなのか、僕にはよくわからなかった。おそらく話すべきなのだとは思う。親よりも、他の誰よりも、加地は奈緒子のことを大切に思っていた。奈緒子だって、それは同じだったはずだ。彼女には知る権利がある。

けれど僕は話せないでいた。

絵葉書のことだけじゃない。僕と奈緒子が一緒にいるとき、お互いの口から加地という名前が出ることは決してなかった。その傷はまだじくじくと膿《う》んだままで、触ることすらできなかった。

笑い飛ばすことも、深刻に話し込むこともできない……。

溜息《ためいき》を吐《つ》くと、いつものように絵葉書を引き出しの中に戻して、僕は階下にあるリビングに向かった。

「こんにちは、弟」

リビングのソファに寝転がり、姉貴がファッション誌を読んでいた。

「昼を過ぎてるから、おはようじゃなくて、こんにちはね」

黙ってればわりとかわいいくせに、姉貴は口が悪い。性格もまあ、けっこう悪い。それにガサツだ。ちっとも女らしくない。家族だからこそ知る真実という奴《やつ》だった。

「こんにちは、姉上」

適当にとぼけながら、僕はキッチンに行き、牛乳パックとコップを持ってきた。本当はパックに直接口をつけてごくごく飲みたかったけれど、そんなことをしたら姉貴の鉄拳《てっけん》が飛んでくる。昨日たっぷり殴られたばかりなので、これ以上殴られたくなかった。

「ああ、うまい」

コップになみなみと注いだ牛乳を、僕は一気に飲み干した。乾ききっていた体に、水分が染み通っていく感じがする。

「どこで飲んでたの」

「奈緒子の家」

「へえ。奈緒ちゃん、そんな飲めないのに」

「お父さんが来てて」

「奈緒ちゃんの？」

「うん」

肯《うなず》いたら、姉貴は目を細め、僕をじろじろ見てきた。頭のてっぺんから足の爪先までじっくりと確認した。

「あのさ、巧」

「なんだよ」

「いくらなんでも、彼女の父親との初対面がそれってのはないでしょう。なに、その下品な髪は。傷だらけの顔は。ただのやばい奴にしか見えないんだけど」

「髪は姉ちゃんのせいだよ」

不機嫌な声で、僕は抗議した。でもまあ、確かにまずかったかもしれない。もし僕が奈緒子の父親だったとしたら、こんな髪をした奴が娘の彼氏だと知った途端、ものすごく不安になるだろうな。

「説明書に十五分って書いてあったのにさ」

「あれ、説明書が読みにくい」

ここで謝らずに誰かのせいにするのが、姉貴の得意技だった。

「書いてあったよ。きっちり」

「字が小さかった」

「とにかく、姉ちゃんのせいだからな」

言い張って、僕はまたコップに牛乳を注いだ。なにをどう言っても、姉貴は自分が悪いとは認めないのだ。わかっているから、これ以上責めるつもりはなかった。それに、憎まれ口を叩《たた》いてはいても、姉貴はちゃんと反省している。だって、この前、たこ焼きを奢《おご》ってくれたし。ついでに買ってきたから、なんて言っていたけれど、あれは姉貴なりの謝罪だったのだろう。

「顔は誰のせいなの」

「山崎先輩」

「山崎？　誰？」

姉貴は、先輩のことをまったく覚えていないみたいだった。

「ほら、うちの高校の4番。姉ちゃんが試合を観《み》に来てくれたとき、イエローカードを貰《もら》ってた人だよ」

「ああ、あの大きい人」

高校時代、僕が出る試合を、姉貴は一度だけ観に来てくれた。いや、その言い方は少し違うな。そこのところは、きっちり訂正しておかないと。姉貴が観に来たのは、僕ではなくて、僕の対戦相手だった。全国でも有名なサッカー名門校で、アイドル並みに人気のある選手が何人かいた。その美形フォワードに、姉貴は熱を上げていたのだった。いわゆる追っかけという奴だ。姉貴は顔のいい男にとにかく弱い。

県大会二次予選の一試合目。勝てばベスト8という大事な試合だった。しかも相手はプロ入りが決まってる奴がふたりもいる名門校。弱小サッカー部の僕たちにとってみれば、最高の晴れ舞台だ。勝てるなんて思っていなかったけれど、簡単に負けるつもりもなかった。

「おい、みんな！　こんな強いチームとやれるなんて滅多にないぞ！」

現役最後の試合になるかもしれない山崎先輩が、キックオフの直前、大声でみんなに気合いを入れた。

「やってやろうじゃねえか！」

しかし実力差はどうしようもなかった。試合開始のホイッスルが吹かれてからわずか七分後、最初の得点が入った。もちろん、相手チームの得点だ。あの山崎先輩がヘディングで競《せ》り負けて、ゴール右隅にボールを叩き込まれた。キーパーは一歩も動けなかった。

要するに、格が違うということなのだろう。

ボール捌《さば》きも、パススピードも、戦略も戦術も、とにかく段違いだった。前半のうちに二点目を入れられ、ほとんど試合は決してしまった。僕たちが必死に攻め込んでも相手ディフェンダーは余裕たっぷりだったし、逆に向こうが攻めてくるときはこちらのゴール前でおもしろいようにボールをまわされた。

弟がいるというのに、姉貴は対戦相手側のゴール裏で試合を観ていた。そして、相手の美形フォワードが三点目を決めると、手を叩いて喜んだ。そんな姉貴の姿を見て、ただでさえぼこぼこに負けてへこんでいた僕は、さらにへこんだものだった。

ちくしょう……ちくしょう……。

相手チームの得点に喜ぶ姉に、かっこいい敵フォワードに、三点目が入っても当たり前という連中の様子に、僕は泣きそうになった。顔を上げると、そこにはきれいな青空が広がっていた。僕たちの声がその青に吸い込まれていった。これが、山崎先輩たちの最後の大会だった。つまり負けた瞬間に引退だ。たとえ相手が名門校であろうと、もっと締まった試合をしたかった。

そういう気持ちが発奮材料になったのか、後半二十分過ぎから、少しだけ試合の流れが変わってきた。要するに相手がペースを落としたのだけれど、僕たちもけっこうボールをキープできるようになったのだ。惜しいシュートが何本かあったし、山崎先輩もスピードの落ちてきた美形フォワードをとめられるようになっていた。

それでも僕たちのチームは相手ゴールを割ることはできず、三点差をつけられたまま、じりじり時間だけが過ぎていき、やがて後半のロスタイムに入った。激しい接触プレーで山崎先輩が美形フォワードからボールを奪った瞬間、僕は全速力で走り出していた。監督から指示があったわけではないし、ボールを出すと言われていたわけでもない。

でも、なぜだか、そのときはわかったんだ。

ボールが来るって。

状況を呑《の》み込めていない敵サイドの脇《わき》を抜け、僕は走りに走った。ぼすん、と後ろの方でボールを蹴《け》る音がした。直後に顔を上げると、きれいな回転のかかったボールが僕の頭上にあった。だけど、ボールの位置を確認した瞬間、僕は泣きそうになった。ちょっとパスが長かった。

山崎先輩！　これじゃ届かないっすよ！

僕はパスやトラップは下手くそだけれど、足だけは速い。だからサイドに置かれているのだ。その僕でも追いつけそうにないくらい、ボールは遠くへ飛んでいた。もちろん僕は走り続けた。決して諦《あきら》めてはいなかった。だけど同時に、届かないことも知っていた。

声が聞こえてきたのは、そのときだった。

「巧、行け！」

姉貴だった。

揺れる視界の端っこに、いつの間にかメイン・スタンドへと移動した姉貴の小さな姿が入ってきた。

両手を口に添え、姉貴は叫んでいた。

「走れ！　巧！」

僕は走った。上がりそうになる息をこらえ、両足に力を込めた。ボールが落ちてくる。タッチラインのそばで弾む。あっさりラインを割りそうだ。絶対、届かないはずだった。どう考えても無理だった。ちゃんと知っていた。だけど、それでも僕は走り続けていた。そのあとのことを、僕は今でも覚えている。どういうわけか、足がぐうんと伸びたのだ。まるで空中を飛ぶみたいに、まるでFC東京の石川みたいに、まるでミランのカフーみたいに、足が伸びた。滑り込んだ僕の足下に、ボールはぴたりと収まっていた。自分でもびっくりするくらい見事なトラップだった。

その最後の一歩がどうして伸びたのか、今でも僕にはわからない……でも、とにかく届いたんだ……足が伸びた……。

ボールをしっかりキープした僕の前には、無人のフィールドが広がっていた。相手のディフェンスラインをぶち破ったのだ。僕は素早く立ち上がると、ペナルティエリアに向かってドリブルを開始した。

敵のゴールキーパーが、ディフェンダーたちに、

「戻れ！　早く戻れ！」

と慌《あわ》てた声で指示を出していた。

だけど間に合うものか。僕の方が速い。足だけは自信があるんだぜ。キーパーもそれを悟ったらしく、腰を落とした姿勢で、ペナルティエリアぎりぎりまで飛び出してきた。

よし、一対一だ。

かわしてゴールに流し込めばいい。

「おい、みんな！　こんな強いチームとやれるなんて滅多にないぞ！」

試合前の、山崎先輩の声が蘇《よみがえ》ってきた。

「やってやろうじゃねえか！」

ああ、そうさ、やってやろうじゃねえか。僕が今蹴っているボールは、山崎先輩か

ら貰ったボールだった。あの美形フォワードを吹っ飛ばして、奪ったのだ。前半が終わったとき、山崎先輩のユニフォームはドロドロになっていた。美形フォワードに振りまわされて、何度も何度も倒れたからだ。

絶対、ゴールを決めてやる！

実のところ、一対一ほど難しい状況はない。プロだって、けっこうはずすものだ。しかも僕の前に立ちはだかっているのはプロ入りも噂《うわさ》されているキーパーだった。全国レベルだ。それに対し、僕は弱小チームの、下手くそサイドでしかない。だけど臆《おく》してなどいなかった。絶対に決めてやるつもりだった。キーパーとの距離が詰まる。三メートル。二メートル。切り返しのフェイントを入れた瞬間、我慢しきれなくなったキーパーが慌てふためいて飛び込んできた。予想通りの動きだったので、僕は爪先《つまさき》でひょいっとボールを浮かし、自分自身もジャンプした。僕はボールとひとつになって、ゴールキーパーを飛び越えた。前にはもう、無人のゴールのみ。ゴールの枠が、がら空きの空間が、はっきり見えた。なにも考えず、ゴールに向かって、僕は右足を振り抜いた。

あのときのシュートの感触を思い返していると、

「4番の人、ゴリラみたいな顔してたね」

呑気《のんき》に姉貴がそう言った。

山崎先輩のことだ。

「うん、ゴリラそっくりだよ」

「あの顔で、試合終わったあと、ぼろぼろ泣いててさ。それから、ほら、ユニフォーム脱いでピッチを歩いてたでしょう。胸毛、生えてたよね。すごいよ。日本人で胸毛がぼうぼうなんて。ちょっと気持ち悪かったな、あの胸毛は」

かなりひどい言いざまだった。僕は山崎先輩のゴリラみたいな顔と、胸毛を思い出した。先輩の恋が実る確率は、僕たちのチームが全国大会制覇するくらい低そうだ。

「胸毛で人格を判断するのはどうかと思うな」

まっとうなことを言ってみたものの、姉貴は聞いちゃいなかった。

「あの人と喧嘩《けんか》したら負けるわよ」

「違う違う。喧嘩じゃなくて、ボクシングのスパーリング」

「あんた、まだボクシングやってたの?」

うん、と肯いたあと、苦いものを呑み込んだ。

「昨日で辞めたけど」

「その方がいいね。あんた、ああいうスポーツには向いてないよ」

「まあね」

「スパーリングでそんなにやられたんだ？」

「最悪。ノックアウトされた」

でもさ、傷だらけの男の子ってさ、ちょっとかっこいいよ。そう言って、姉貴が唇に触ってきた。切れているそこは、軽く触られただけでむちゃくちゃ痛かった。

「痛い痛い。触んなよ、もう」

「ケチ」

「マジで痛いんだって」

それから僕はもう一杯だけ牛乳を飲んだ。そして、昨日の夜、奈緒子の父親と飲んだときのことを話した。僕たち姉弟は、わりといろんなことを話す。他の家ではどうかわからないけれど、僕も姉貴もガサツな性格だから、あまり家族のアツレキという奴《やつ》を気にしないのだ。

「楽しかった？」

そう尋ねられたので、肯《うなず》いておいた。

「わりとね。いいオジサンって感じだった。俺がこんな髪と顔してても、全然嫌そうな顔しなかったし」

「そりゃ、あんたの目の前で嫌そうな顔はしないでしょう」

姉貴の言う通りだった。気さくに話してくれてたけれど、あとで悪く言われたかもしれない。確かに、この髪と顔で好印象はあり得ない。ちくしょう。本当にタイミングが悪かった。そんなことを思いながら、なにか食べようとキッチンに向かって歩き出したところ、姉貴が声をかけてきた。

「あんたはここ一番で弱いよね」

「まあ、うん」

「あのときの突破もさ、すごかったんだよ。本当にすごい弟だって思ったんだ。ゴールキーパーをかわしたとき、カレン君よりもかっこいいと思ったくらいだもの。なのにさ、あんた、そのあとのシュートを――」

僕は慌ててキッチンに逃げ込んだ。

そう、せっかく山崎先輩から貰《もら》ったあのボールを、無人のゴールに蹴り込めばよかっただけのボールを、僕はふかしてしまったのだった。思いっきり蹴ったボールは、ゴールのはるか上を飛んでいった。

ほんと僕はここ一番に弱いんだ。

とはいえ、たまにはうまくいくこともある。ただし、そういうときに限って、自分のためじゃなく他人のために動いているのだけれど。たまにしかない成功を、他人に捧《ささ》げているみたいだ。

たとえば――加地と奈緒子を引き合わせたときがそうだった。

文化祭の前、それぞれの仕事をギブ・アンド・テイクで仕上げた僕たちは、そのまま帰る気にもなれず、なんとなく一緒にいた。僕たちはつまらないことを言って笑ったし、下らないことではしゃいだ。

自販機でジュースを買うとき、奴の飾りつけにすっかり魅了された僕は、

「奢《おご》るよ」

と感謝の気持ちを込めて言った。

しかし加地は、

「いや、俺が奢るよ」

と言ってきた。

まったく、どうでもいいことだった。なのに、僕たちはどちらが奢るのか、さんざん揉《も》めた。俺が奢る。いや奢らせろ。酔っぱらいみたいに、そんなことを言い合った。たかが百二十円のジュースだけれど、あのときの僕たちにとってはそれ以上の価値が

あったのだ。

結局、加地に押しきられた。

「悪いな」

僕は炭酸入りのジュースを奢ってもらった。加地という奴は、言い出したら絶対引かなかった。軟弱な文化部野郎のくせに、意志だけは本当に強かった。もし僕にあいつくらい強い意志があったら、あのゴールを決めていただろう。

「おう」

加地は得意気に肯いて、僕に缶ジュースを渡してきた。

どこで飲むか相談した末、本物の星を見ようということになり、僕たちは屋上へと向かった。夜の学校の、しかも屋上は、とても静かだった。給水塔の上に立っているアンテナが風を切る、ひゅうひゅうという音が、時折響いてくるだけだった。

僕たちは高いネットにもたれかかり、それぞれのジュースを飲んだ。夜の空気の中、ジュースの缶を傾ける加地は、ちょっと不思議な感じに見えた。いつもガタイのいい連中とつるんでいる僕からすると、加地は枯れ木のように細かった。まるで女のようだった。そのくせ、言葉や仕草は僕なんかより男っぽかったりした。そう、加地には妙な存在感があった。誰も近づけないというか、自分だけの世界をちゃんと持っているというか。

高校生なんて、まあガキもいいところだ。今だって僕はガキだけど、それに比べても、高校生のころの僕はもっともっとガキだった。

友達との付き合いや、先輩との関係も、どこかきれいに割りきれてないところがあった。期待しすぎて裏切られたり、逆にこちらが裏切ったりしていた。そしてそういうことに、いちいち傷ついてもいた。

だけど、加地は違った。

あのころ、加地はもう、ひとりで立つことの大切さを知っていた。人間というものは、まず自分自身の足で立つことを覚えなければいけない。ひとりきりだって、わかっていなければならない。その上で、誰かと助け合ったり、恋をしたり、求め合ったりするのだ。十七の僕がわかっていなかったことを、加地はあのときすでにわかっていたのだと思う。

だから、僕は加地に一目置くようになった。

あいつは誰よりも特別だった。

僕より体が小さくても、握力が三十五キロしかなくても、体育祭でドンケツを走っていても、僕はあいつをバカにしなかった。いや、できなかった。

ああ、そうなのだ。

あいつはむしろ、僕の先を走っていた。はるか遠くだ。今になってみれば、はっきりわかる。あの十七の夜、僕はもう周回遅れにされていたのだ、と。

僕が部活で嫌な先輩がいると愚痴ると、

「ぶん殴っちまえよ」

なんて加地は気楽に言った。

僕は溜息《ためいき》をついた。

「おまえ、体育会系をわかってないよ。そんなことしたら、こっちがボコられるし、部にいられなくなるだろう」

「いいさ、別にいられなくなっても。サッカーするんだったら、部活じゃなくて、草サッカーとかもあるし」

「言うほど簡単じゃないって。ハブにされるの、辛《つら》いだろう」

「そうかな」

加地の長い前髪が、夜風に揺れていた。

「俺はひとりでいられなくなる方が怖いけどな」

「え、どういうことだ」

「人間ってさ、川嶋が言うように、誰かに頼らないと生きられないいんだよな。俺もちゃんとわかってんだ、そういうの。だけど、ひとりで生きられるようにならなきゃいけないとも思ってる。でないと、結局、ただもたれ合うだけになっちまうだろう。それじゃ駄目なんだ。ちゃんとひとりで立てる人間同士が、それをわかった上でもたれ合うからこそ、意味が生まれるんだ」

たぶん僕たちは若かったのだろう。夜の校舎の、しかも屋上で、コッ恥《ぱ》ずかしい話をしていたのだから。今では、もうあんなふうに誰かと話すなんてできない。加地みたいな友達は、他にいないし。だけど、だからこそ、僕はあの夜を、加地の前髪が夜風に揺れていた瞬間を、すごく大切に思う。

「おまえ、いつもそういうこと考えてるのか？」

僕がびっくりして尋ねると、加地は肯いた。

「ああ、そういうことばかり考えてる」

「へえ」

「だから、川嶋みたいに動けないいんだけどな。それが俺の欠点だ。本当はもっともっと動くべきなんだ。動くことによってしか見えてこないことがあるんだからさ。でも俺、わかってても動く前に考えちまうんだよな」

「俺は逆だな。まず動く。そのあと考える。だけどさ、あんまり賢いやり方じゃないぞ。けっこう悔やむんだよ。失敗したなって頭を抱えたくなる。ああ、本当に後悔ばっかりだよ。さっきもさ、へこんでたんだ。あんな飾りつけもできなくてさ。本当にへこむ」

「だけど流れ星マシンは作れる」

沈んだ空気を茶化すように、加地がそう言って笑った。

それで僕もどうにか笑えた。

「おお、流れ星マシンは作れるぞ」

僕たちは、マジな話をしてしまった照れ臭さをごまかすために、しばらくおかしなことばかり話していた。たとえば、現国の島村ゆかり先生はむちゃくちゃきれいな脚をしてるとか、怒ると怖いけれど、怒った顔はかわいいとか。三組の時田加代子の胸はグラビアアイドルに負けないくらい大きいとか。一組の野中美紀は頼めば誰でもやらせてくれるらしいとか。要するにまあ、女の子のことだ。

十七の男に、他にどんな話題がある？

僕たちは自分の好みを主張し合い、胸はAカップがいいかBカップがいいかというテーマでたっぷり激論を交わした。僕も加地も一歩も引かなかった。顔を重視するか、脚を重視するかでも、そうとう揉めた。不思議なくらい、僕たちは趣味が違っていた。なにもかもが正反対だった。

「わかった」

さんざん議論した末に、僕は結論を下した。

「おまえはむっつりスケベだ」

加地は顔をしかめた。

「納得できないな。表に出てるか、出てないかだけの違いだろう」

「いや、その違いが大きいんだ」

「変わんないって」

「いや変わるね。大違いだね」

ここでも僕たちの意見は平行線だった。むっつりスケベ扱いされたのがそうとうこたえたらしく、加地は断固否定し続けた。そういうのがなんだか妙におもしろく思えてきて、僕はげらげら笑い出してしまった。加地はしばらく怒り続けていたけれど、やがて僕を論破することを諦《あきら》め、同じように笑い出した。

「やばい。すっげえ笑える」

僕がそう言うと、

「俺も。腹痛え」

加地はごろりと汚いコンクリートの上に転がった。げらげら笑いながら、本当に腹を抱えている。僕も同じように転がった。

「俺たち今、どうかしてるな」

「うん、どうかしてる」

「けど、すごくいい気分だ」

「マジ最高だな」

「夜のせいかもな」

「うん、夜のせいだ」

僕たちは寝転がったまま、ひたすら笑い続けた。僕たちの視界には、秋の星空が広がっていた。明るい星が、三つか四つ。そんなしょぼい星空だ。加地のプラネタリウムが映し出す星の方が、はるかにきれいだった。

「おまえの星の方がすごい」

思ったままを、僕は口にした。

加地は、うん、と肯《うなず》いた。

「ここら辺は、けっこう都会だからな。星なんてろくに見えないんだよ。なあ、川嶋、知ってるか。俺たち人類はいつ絶滅するかわからないんだぞ」

「絶滅？」

「地球には今まで、いろんな種類の生き物が生まれたんだ。一番有名なのが、恐竜だ。あれ、すごい繁栄だったんだぜ。一億六千万年くらい、恐竜の時代は続いたんだ。俺たち人類がこの世界に現れてからどれくらいか知ってるか？」

「いや……」

「たった四百万年だ。恐竜時代の四十分の一だよ。恐竜は正真正銘、地球の支配者だった。だけど、あっさり絶滅した。同じことが俺たちに起こる可能性がある。半年くらい前、NASAがレポートを出したんだ。そのレポートによると、直径二十キロの隕石《いんせき》が地球から十五万キロのところを通っていったんだってさ。もし隕石がぶつかってたら、ものすごい津波が起きて、たいていの都市が呑《の》み込まれていただろう。それから舞い上がった塵《ちり》で気候変動が起きて、氷河期がやってくる。恐竜はそういう気候変動で滅びた。俺たちも同じことになりかかってたんだぜ」

「マジかよ？　本当に？」

「ああ、たった半年前にな。十五万キロってのは想像しにくいかもしれないけど、月と地球の距離の半分くらいだ。ほとんどかすっていったようなものだよ。俺たちは知らないうちに、しかも半年前に絶滅しててもおかしくなかったんだ」

加地はその隕石が飛んでいるであろう宇宙を眺めながら話していた。いつの間にかあいつの口調は落ち着いた感じになっていて、なにかを考え込んでいるふうだった。僕はバカだけれど、バカなりに、加地の言ったことを考えてみた。たまらなく恐ろしい話だった。絶滅なんて言葉にしてしまうと一言だけれど、要するに僕が死ぬということだ。親父《おやじ》も、お袋も、姉貴も、僕も、加地も死ぬ。ごつい山崎先輩だって生き残れない。

「怖いな」

腹の底が、ひんやりした。

「ああ、怖い」

しかし加地の声は、ちっとも怖そうではなかった。

「そういうことがいつ起きるかわからないんだ」

「明日かもしれないってわけか」

「それどころか、今この瞬間かもしれない。大きな隕石が、ちょうど地球の大気圏に突っ込んできてるかもな」

「だとしたら、俺もおまえも終わりだ。未来なんて、あっという間に消えちまう」

「俺たちが思ってるより脆《もろ》いものなんじゃないかな、未来って。だから、俺はもう考えるのをやめて……まあ、全部はやめられないだろうけど、それでもやれることをやろうと思ってるんだ。考えすぎて立ち止まるのは、いい加減にしとこうってさ。動くことによって見えてくるものがあるはずなんだ」

「具体的に、なにをするんだ？」

加地はなかなか答えなかった。でも、なにか言おうとしているのがわかった。それで僕は催促した。

「教えろよ。なにをするんだ？」

「……告白しようと思ってる」

「本当かよ？」

驚きのあまり、僕は思いっきり素早く体を起こした。寝転んでいる加地を見下ろすと、あいつの顔はちょっと赤くなっていた。

「誰だよ、相手」

「本山」

「本山って、二組のか？　三組のか？」

「三組の方」

「本山奈緒子か」

「ああ、うん」

加地も上半身を起こすと、両手で顔をごしごし擦《こす》った。赤くなった顔を隠してるつもりらしい。よけいわかるっての。

「おまえら、小学校のころから一緒じゃなかったっけ」

「そうだよ」

「もしかして、そのころから好きだったのか」

冗談半分だったのだけれど、加地は恥ずかしがって答えようとしなかった。でも、それは大声で答えてるようなものだった。ずいぶん前から加地は本山奈緒子のことが好きだったのだ。

「いつからだよ?」

僕はしつこく尋ねた。

だいぶたってから、加地はようやく答えた。

「十一のとき」

「長いな。六年かよ」

「まあ、うん」

「そうか、ついに告白するのか」

他人のことなのに、なんだか僕はわくわくしていた。誰かを好きになるということは、どうしてこんなにも気持ちを掻《か》き立てるのだろうか。それにしても、六年も片思いしてたとは驚きだった。加地らしいといえば加地らしいけれど。三組の本山は加地の気持ちに気付いていないのだろう。勘のいいタイプではないし、加地は気持ちを隠すのがうまい方だし。

「いつ本山に言うんだ？」

「まだはっきり決めてないけど、できればこの文化祭中に……」

「おい、もうすぐだぞ」

「大声出すなって、川嶋。むちゃくちゃ緊張してくるだろう」

加地はそして、どういうふうに告白しようと思ってるか、打ち明けてくれた。それを聞いて、僕はさらにわくわくしてきた。ものすごく恥ずかしい、つまりロマンチックなやり方だったからだ。そして、いかにも加地らしいやり方でもあった。僕だったら、相手を適当な場所に呼び出し、「付き合ってください」なんてあっさり言ってしまうだろう。よくもまあ、こんな手の込んだことを思いつくものだ。

「問題は、どうやって彼女にプラネタリウムに来てもらうかなんだ」

「来てくれないと、話にならないもんな」

「いいアイデアないかな」

溜息《ためいき》とともに、加地はふたたび寝転んだ。

「ああ、もう、全然思い浮かばないよ」

僕は靴の先で、加地の肩をつついた。

「なんだよ、川嶋」

「まかせとけよ」

「え？」

「俺にまかせとけよ。本山さんをプラネタリウムに呼べばいいんだろう。本山さん、確か春日《かすが》貴子《たかこ》と仲いいだろう。俺、春日は知ってるんだ。一年のとき、体育委員を一緒にやってたから。春日に頼んで、本山さんを物理生物学教室に行かせるよ。待ち合わせとか、そういう感じで」

「できるのか？」

加地は勢いよく起き上がった。

「ああ、それくらいなんでもねえよ」

「そ、そうか」

「おまえ、緊張してきただろ？」

うん、と素直に加地は肯いた。

「本当に緊張してきた」

「おい、加地、そのときになってびびるなよ。俺たちはいつ絶滅するかわからないんだろう。だったら、びびってる暇なんかないぞ。ちゃんと気持ちを伝えろよ。それにおまえ、もう考えすぎるのはやめるんだろう」

加地はしっかりと肯いた。

「そうだな。考えすぎるのはやめるんだ。これからは川嶋みたいに単純に生きるよ」

「単純って言うな、単純って。ダイナミックと言え」

つまらないことで笑い合ったあと、僕たちは揃《そろ》って星空を眺めた。

「しょぼい星空だな」

「まったくだ」

「絶対、うまくいくって。おまえの作った星空を見たら、本山さんも感動するぞ」

「だといいけど」

僕たちは十七歳で、たまらなく楽しい時間を過ごしていた。これからなにかが始まるんだという感じに、わくわくしていた。あのしょぼい星空を、加地のほっそりした頬のラインを、揺れる前髪を、給水塔の上で風にひゅうひゅう鳴っていたアンテナを、僕ははっきり覚えている。

加地がいなくなってしまった今でも。

食事を終えてから大学に行き、一般教養の再試験を一科目だけ受けた。再試験といっても、レポート用紙にそれっぽいことを書けば合格させてくれる仏のような先生だったので、事前に調べておいたことを時間いっぱいかけてだらだらと書き連ねればいいだけだった。

それにしても、妙なものだった。

バカだった僕がこうして大学に通い、成績の良かった加地は大学に行かなかったのだから。いや、行くには行ったのだが、学校にはほとんど通わず、あちこち旅行し始めたのだ。

「俺はもう考えるのをやめて……まあ、全部はやめられないだろうけど、それでもやれることをやろうと思ってるんだ。考えすぎて立ち止まるのは、いい加減にしとこうってさ。動くことによって見えてくるものがあるはずなんだ」

春季休暇中のがらんとした大学の構内を歩きながら、僕は十七歳の加地が口にした言葉を思い出していた。あいつが大学に行かずに貧乏旅行を始めたのは、たぶんそういうことだったのだろう。動くことによって見えるものを見るために、あいつは海外をぶらぶら旅行するようになったのだ。ほんのちょっとの金と、ぼろぼろのTシャツだけを持って、中国やらタイやらインドネシアを見てまわった。なあ、と僕はもうこの世にいない友人に話しかけた。なにか見えてきたものはあったか。あの黒い瞳《ひとみ》に、おまえはなにを映したんだ。楽しかったか。悲しかったか。寂しさに泣いた夜もあったのか。そういうことを、僕は聞きたかったんだ。実際に動き出したおまえがなにを見たのか、おまえの声と言葉で知りたかったよ。そうすれば、バカな僕だって、なにか見えてきたかもしれないだろう。なあ、加地、見えてきたものはあったのか。教えてくれよ、加地。

もちろん返事はない……。

僕は帰り道を子供みたいな感じでぶらぶら歩き続けた。そして加地のことを思った。はずしてしまったシュートのことを思った。山崎先輩にぶち込まれたパンチのことを思った。山崎先輩が泣いていた県大会最終戦のことを思った。玄関で眠り続けている奈緒子のことを思った。加地が最後に送ってきた絵葉書のことを思った。その絵葉書の存在を奈緒子に話していない僕自身のことを思った。

なぜ僕は絵葉書のことを奈緒子に隠しているのだろうか？

違う。別に隠しているわけじゃない。ただ話せないだけだ。僕はずっと、絵葉書が届かなければよかったと考えていた。絵葉書のことを言えば、奈緒子は加地を思い出すだろう。ゆっくり遠ざかりつつある加地の記憶が、また鮮明になってしまう。僕のことじゃなくて、奈緒子は加地のことばかり考えるようになる。

いや、今だってそうなのだ。

奈緒子は加地のことを忘れていない。玄関で眠る彼女は、きっと加地の夢を見ているはずだ。あるいは、加地のことをすべて忘れるよう、僕は奈緒子に迫るべきなのかもしれなかった。だって奈緒子は今、僕と付き合っている。加地じゃない。あいつは死んでしまった。

けれど、忘れさせるのは無理だった。

大きすぎる。

十代後半の奈緒子は、ずっと加地と一緒にいた。彼女がゆっくり大人になっていく日々を、加地は一緒に歩んだのだ。もしその日々をすべて忘れ去ってしまったら、奈緒子の十代後半にはなにも残らなくなってしまう。

わかっているんだ……ちゃんとわかっているからこそ、僕は加地のことに触れられない……。

なにより僕自身が加地のことを忘れていなかった。屋上でジュースを飲んだ夜を、飾りつけを見事に仕上げたあとの得意気な顔を、僕は今もはっきり覚えていた。僕にとっても、加地は特別な存在だったのだ。

ずっとずっと、僕は加地に憧《あこが》れていた。

手を伸ばしても届かぬ星のように、あいつを見つめていた。

時々、僕は思う。加地が生きていてくれたらよかったのに、と。もし加地が無事に帰ってきたとしたら、加地と奈緒子は今も付き合っていただろう。優しく肩を並べていたはずだ。ふたりの幸せな光景を、僕はただ見ているだけでよかった。それだけで優しい気持ちになれたのだ。けれど加地はもういない。死んでしまった。

奈緒子と付き合っているのは、加地ではなく、この僕なのだ。

僕が肩を並べて歩いている。

地下鉄に乗り、僕たちが住む町に帰ってきたときには、もうすっかり夕方だった。東西に延びる商店街を歩いていると、傾いた太陽が真正面にあった。西日がきつい。振り返ってみたら、すごく長い影が伸びていた。これは本当に僕の影なのかな？

声をかけられたのは、そのときだった。

「あれ、川嶋君じゃないか」

顔を前に戻すと、奈緒子のお父さんが立っていた。

「あ、こんちは」

「どこか出かけてたのかい」

僕が持っている鞄《かばん》を見て、お父さんが尋ねてきた。

「大学に行ってました。あの、昨日はありがとうございました」

「いや、僕も楽しかったよ」

外で会うと、お父さんの雰囲気は、またちょっと違っていた。どこにでもいそうなオジサンだけれど、奈緒子と同じように少し呑気《のんき》なところがあって、優しい目をしていた。

「今から帰るところかい」

「そうです」

「せっかくだから、ご飯でも食べていこうか。今日は奈緒子が友達とどこかに行くっていうから、僕も外で食べようと思ってたんだ」

将を射んとせばまず馬を射よ、なんて言葉を思い浮かべたわけじゃない。そういう小賢《こざか》しいことではなくて、僕はお父さんと話してみたかった。それに、体育会系の僕は、年上に誘われたら断れないのだ。

「じゃあ、お供します」

ご飯を食べると言ったのに、当たり前のようにお父さんは飲み屋に入った。店内では焼き鳥がじゅうじゅう焼かれていて、その煙と匂《にお》いが充満していた。僕の腹がぐうと鳴った。奥の席に陣取り、僕たちはとりあえずビールと焼き鳥を注文した。

「昨日も飲んだが、まあ乾杯」

「はい、乾杯」

グラスをカチンと合わせ、僕たちはビールを胃に流し込んだ。

「いや、娘の彼氏と飲むのは意外と楽しいものだね」

呑気にそういうことを言うのが、いかにも奈緒子のお父さんらしかった。それにしても、二日連続で飲むことになるとは思わなかった。

「俺も……僕も楽しいっす」

昨日と同じような話題を、僕たちは繰り返した。僕はお父さんに野球の話を振り、お父さんは僕にサッカーの話を振ってきた。僕はあの、はずしてしまったシュートのことを話した。

「なんではずしたのか、今もわからないんですよ。ゴールは空っぽだったし、流し込むだけでよかったのに。思いっきり蹴《け》っちゃって。そうしたら、ぼーんって高く上がっちゃったんです」

二日連続のせいか、あっという間にアルコールがまわり、僕はすっかり饒舌《じょうぜつ》になっていた。

「どうせ負け試合だったし、一点取っても結果は変わらなかったけど、あのシュートのことばかり思い出すんですよね。もし一点取れてたら、先輩たちを喜ばしてやれたかなって」

塩辛をつまみながら、お父さんが言った。

「そういうことを人はたくさん抱え込んでいくんだよ、川嶋君。長く生きると、君がはずしてしまったシュートみたいなものを、何度も何度も打つことになる。僕もこんな年だけど、いまだに思い返すことがあるからね」

「はい」

「人間って、なかなか前に進めないものだよ。悲しいことに」

説教臭い感じではなく、お父さんは本当に悲しそうだった。僕に語ってるんじゃないな、と悟った。

「シュート、決めたいね、川嶋君」

「決めたいですね」

「また同じように、シュートを打つ機会は訪れるよ。人生には、たいてい敗者復活戦があるからね。そこで、今度こそすばらしいゴールを決めればいいんだ」

「お父さんはホームランをかっ飛ばしてくださいよ」

「そうだな、僕はホームランだな」

お父さんは割り箸《ばし》バットを豪快に振った。

「バックスクリーン直撃のな」

つまらないことを言って、僕たちは笑い合った。不思議なことに、僕は加地のことを思い出していた。あいつとも、こんなふうに笑ったっけ。お父さんと加地は全然似ていない。お父さんの方が、ずっと器用で軽やかな雰囲気を持っている。だけど、今のお父さんは、なぜだか加地に少し似ていた。

「今ね、家の中がよくないんだ」

「え……」

「こんなことを、娘の彼氏に話すなんて変な話だけどね。妻とちょっと揉《も》めててね。あ、君とこの件を話したことは、奈緒子には秘密だよ」

はい、と僕は肯《うなず》いた。

「本当に参ってるんだ。それで会社も長期休暇を取って、こっちに逃げ出してきてるくらいでね。奈緒子はこういうこと、全然聞いてこないんだが」

「そうなんですか」

「親子だと、かえって話しにくくてね。まあ、話さないですむんだな。親子だと」

血の繋《つな》がりの強さという奴だろう。僕の場合だと、奈緒子を騙《だま》すのは全然平気ではないけれど、姉貴を騙すのはまあ平気だ。親子や兄弟はなにがあっても親子や兄弟で、だからこそ、いろんなことを曖昧《あいまい》にしたままでもやっていけたりする。

「それで、君に聞いてもらってるんだけどね」

「あ、どうぞ」

グラスが空っぽになっていたので、僕はお父さんにビールをついだ。お父さんはありがとうと丁寧に言ってそのビールを飲むと、今度は僕にお酌してくれた。

「実は会社を辞めようと思っているんだ」

「会社を？」

「夢があってね。たいした夢じゃないんだが、それでもずっと考えてたんだ。諦《あきら》めてたと言った方がいいかな。会社人生もけっこう楽しいしね。ただ、この年になると、人生の終わりを意識するようになるんだな」

「まだ若いじゃないですか。終わりだなんて……」

「うん、まだ若い。どうにかやり直せるくらいにはね。だけど、ここを過ぎてしまったら、もうやり直すのは無理だと思うんだ。少しずつ体力も気力も落ちていく。十年後は今のようには動けないだろう。そんなふうに人生の残りを意識するようになった途端、突然夢を追ってみたくなったんだよ。でも妻は理解してくれなくてね。まあ、もっともなんだ。生活もあるしね」

「はい」

「妻の頭の中には、人生の理想像みたいなものができあがってるんだな。僕が勤めてるのはそれなりに大きな会社だし、このままなら経済的にはなんの心配もなく暮らしていける。悪い人生じゃないんだよ。どちらが間違ってるかって言ったら、僕の方なんだ。妻が怒るのも、もっともだと思う。それでも僕は理解して欲しかったんだ」

理解して欲しかったんだな、とお父さんは繰り返した。

「いつの間にか、夫婦という関係に甘えていたのかもしれないね。今まで、そういうことをちゃんと話してこなかったから、いざ話そうとしても言葉がうまく通じないんだ。感情ばかりが走ってしまってね。それで、ついに家出までする羽目になってしまった」

「はい」

僕はひたすら肯いておいた。僕みたいな若造の意見なんて、なんの役にも立たないことがわかったからだ。お父さんはたぶん、誰かに話したいだけなのだろう。その相手に選んでもらったことが嬉《うれ》しいというか、ありがたかった。お父さんの話を聞きながら、僕はひたすらビールを飲んだ。お父さんも飲んだ。僕たちの顔はどんどん赤くなっていき、焼き鳥の串《くし》がどんどん溜《た》まっていった。

お父さんが話してくれたのは、よくあることなのかもしれない。どこにでも転がっている、ありふれたことなのだろう。けれど、だからといって軽く受け止められるかといえば、そんなわけはないのだった。人は当たり前のように悩むし、苦しむし、落ち込む。年を取ったからといって、悟れるわけではない。そのことを、僕は改めて思い知った。

こんな年上の人と腹を割って話したのは初めてだった。自分の父親とだって、ここまで深く話したことはなかった。五十一のお父さんは、背中を丸めていた。しょぼくれていて、かわいそうだった。

「参ったな」

お父さんは繰り返した。

「参ったよ、川嶋君」

僕はグラスのビールを飲み干し、言ってみた。

「お父さん、こっちに来てから、なにかしてますか」

「なにかって？」

「なんでもいいんですけど。仕事とか、ボランティアとか」

「いや、なにもしてないな」

「それがいけないんじゃないですかね。僕、高校時代に、友達に言われたことがあるんです。考えてばかりじゃ駄目だって。動いてこそ、見えてくるものがあるんだって。だから、なにかやってみるといいんじゃないですか。状況は変わらないかもしれないですけど、それを見る目が変わるかもしれないですよ」

ほう、とお父さんは唸《うな》った。

「高校生で、そういうことを言う子がいるとはね」

「はい、すごい奴でした」

お父さん、そいつ、奈緒子の初恋の人なんです。奈緒子は今も、そいつのことを思ってます。全然忘れてないです。僕と付き合ってても、奈緒子の心の中にいるのは、そいつなんです。そしてそれは、僕も同じなんです。絵葉書、持ってるんですよ。最後に送ってきた絵葉書です。僕、奈緒子に隠してるんです、そのこと。どうしても言えないんです。なんでかわからないけど、ずっと引き出しにしまいこんでるんです。

お父さんはしばらく考えていたけれど、

「そうかもしれないな」

と呟《つぶや》いた。確かにその通りだな、と。

第五章　妹、怒る

なんだか、お父さんがすごい。

少し前まで家にこもってごろごろしてるばかりで、新聞を読むことすらしなかったのに、季節が冬から春に移り変わっていくのと合わせるように、急に活動的になったのだった。まずわたしが貸したマンガをものすごい勢いで読み始めた。今年五十一歳になったオッサンのお父さんは、わたしが持っている大島弓子選集と萩尾望都《はぎおもと》作品集と佐々木倫子《のりこ》を一冊一冊読破していった。『バナナブレッドのプディング』を読み終わったときは、庭で洗濯物を干していたわたしのところまでわざわざやってきて、「奈緒子《なおこ》、いや、これはすごいな。たいしたもんだ」と興奮した様子で語った。『林檎《りんご》でダイエット』に唸《うな》り声を上げ、『トーマの心臓』で目を潤《うる》ませ、『毎日が夏休み』は三回くらい読み返していた。

まあ、とにかく、少女マンガに熱中している五十一歳というのは、端で見ているとなかなかおもしろかった。少女マンガを読み慣れている人間なら軽く読み飛ばしてしまうような部分に、お父さんはいちいち感動したり、感銘を受けたりしていた。そのスレてなさぶりは、まるで子供のようだった。特におもしろかったのが、大島弓子選集を読み終えてから、『グーグーだって猫である』という本に進んだときだった。大島弓子のエッセイに出てくるサバという猫にすっかり感情移入していたお父さんは、その続編にあたる『グーグーだって猫である』の八ページ目を見た途端、ぱたんと本を閉じた。

お父さんは真剣な声でわたしに尋ねてきた。

「奈緒子、サバはどうなったんだろう」

読めばわかるよ、とわたしは言った。

「わたしの口から聞いてもつまらないでしょう」

「まあ、そうだが」

しばらく表紙を見つめていたけれど、結局ふたたび開くことなく、お父さんは本をソファの上にそっと置いた。それから三日か四日くらい、『グーグーだって猫である』はソファに放り出されていた。

さすがにもういいだろうと思い、

「読まないなら片付けるよ」

と言って本を手に取ったところ、お父さんにとめられた。

「ちょっと待ってくれ」

「だって読まないんでしょう」

「読まないんじゃない。読む勇気が出ないだけだ」

お父さんはわけのわからないことを言い張った。

「もう少し待ってくれ。心の準備が必要なんだ」

一週間ばかりたってから、ようやくお父さんは『グーグーだって猫である』を開き、最初は恐る恐るページをめくっていたけれど、途中からは夢中になって読んでいた。

わたしが少女マンガを貸したお返しに、お父さんは山岡荘八の『徳川家康』を貸してくれた。全二十六巻という長さに怯《ひる》んだものの、お父さんが強く薦めるものだから試しに読み始めたところ、とまらなくなった。ものすごくおもしろかった。わたしたちはリビングにごろごろ寝転がり、お父さんは少女マンガを、わたしは『徳川家康』を読みふけった。おもしろいシーンがあると声を上げ、相手にそのすばらしさを訴えた。わたしたちはそうして、交互に熱く激しく語り合ったり、肯《うなず》き合ったりした。

わたしが持っている少女マンガをだいたい読んでしまったお父さんは、さらに活動的になった。それまで家に引きこもっていることが多かったのに、どんどん外へ出ていった。最初は毎日散歩に行くくらいだったけれど、やがて三丁目の渡辺さんに誘われて、町内会に顔を出すようになった。町内の清掃作業やら、町内会主催の記念式典やらを手伝い始めたのだ。以前こっちの家に住んでいたころ、そういうことは、全部お母さんにまかせていたので、びっくりした。

あるとき、自転車に乗って信号を待っていたら、脇《わき》に車がとまった。

「よう、奈緒子」

開いた窓から顔を出したのは、なんとお父さんだった。

わたしはびっくりした。

「なにしてるの、お父さん」

これこれ、とお父さんは車のボンネットを指差した。黄色い布がそこに貼《は》ってあって、『安全パトロールカー町内見まわり中』と大きな字で書いてあった。

「町内会防犯部の斉藤さんを手伝ってるんだ」

助手席にいるオジサンが、

「お父さんに助けてもらってますわ」

と、にこやかに言って、頭を下げてきた。

「いえ、父がお世話になっております」

「いやいや、お世話になっとるのはわたしの方ですよ。お父さんのおかげで、町内会のみんな助かっとるんです」

「斉藤さん、そんなお世辞言わんでくださいよ」

「またまた本山さん。本当ですって」

「わたしこそ、ほら、あの件で斉藤さんに助けてもらったんですから。お互い様ですよ」

「いや、あれは――」

わたしの目の前で、お父さんと斉藤さんは感謝の表明合戦を始めた。こういうのを見ると、お父さんがそれなりに出世を重ねている理由がよくわかる。人が嫌がることを嫌がらずにするし、誰とでもすぐに打ち解けてしまう。そして仕事が人より早い。防犯部の斉藤さんではなくて、お父さんの方が町内見まわりを仕切っているように思えてしまう。

お父さんたちが乗っている車の向こうには大きなお屋敷があって、広い庭にたくさんの木が植えられていた。きれいに裸になった枝が青空を切り裂くように伸びており、青い鳥が一羽とまっている。驚くほど長い尻尾《しっぽ》を持った鳥だ。その光景は、まるで美しく撮りすぎたせいでつまらなくなってしまった写真のようだった。高校のころ、美術の先生が言っていた。きちんと描くのは楽なんだ。でもおもしろく描くのはとても難しい。

「じゃあ、お父さん行くから」

「お嬢さん、気をつけて」

感謝の表明合戦を終えたお父さんと斉藤さんは、わたしにそう言って、車を発進させた。——と思ったら、車はすぐにとまった。

窓から顔だけ出したお父さんが、

「奈緒子。カゴ、カゴ」

と言った。

意味がわからなかった。

「カゴがどうしたの」

「ここら辺、ひったくりが増えてるんだ。それでお父さんたちも見まわりしてるんだけどな。そういうふうに、バッグをカゴに入れてると、狙《ねら》われやすいんだぞ」

「あ、うん」

「カゴに入れずに、肩からかけなさい。たすきがけだ、たすきがけ」

言われた通りに、バッグの肩ひもをたすきがけにした。たすきがけなんて、なんだか子供みたいだった。

「それでよし」

満足そうに言ったあと、お父さんが運転する車は去っていった。よく見ると、ご丁寧にも車のルーフにパトライトみたいなものが載っていて、赤い光をくるくる回転させている。お父さん、防犯パトロールまで手伝ってるのか。それにしてもいったいどうしたのだろう。なぜこんなに活動的になったのかな。お母さんとのことが、いい方向に進んだんだろうか。

首を傾《かし》げながら、バッグをたすきがけにしたまま、わたしは自転車をこいだ。

お父さんが始めたのは、防犯パトロールだけではなかった。わたしがろくに使ってなかったノートパソコンで、町内会の会報を作り始めたのだ。それまでもいちおう会報はあって、たまにまわってくる回覧板に、しょぼい一色刷りの、ぺらぺらの紙が挟まっていた。オジサンやオバサンの手書き原稿を貼り合わせてコピーしただけの代物《しろもの》だ。ところがお父さんが担当になった途端、会報はいきなり多色刷りの豪華なものに変身した。写真やグラフが多用され、まるで専門業者が作ったみたいだった。取材も綿密にしているらしく、二丁目の田中さんが飼っている十三歳のハスキー犬の家出騒動とか、一丁目の岡田さんの従軍体験とか、わたしも通った第四小学校の学校行事とかが、時にはおもしろく、時には涙を誘うような調子で紹介されていた。

そのころから、町を歩いていると、いろんな人に声をかけられるようになった。わたしは相手が誰なのかまったくわからないのだけれど、すれ違う人から、

「お父さんに先日はありがとうございましたとお伝えください」

なんて言われたりした。あなたは誰ですか、と尋ねるわけにもいかず、そのたびにわたしは愛想笑い全開で、

「いえ、父の方こそお世話になっております」

と頭を下げることになった。

町内でいい加減なことはできなくなったなあと思いつつ、今日もリビングで会報作りに励んでいるお父さんの背中に、声をかけてみた。

「今日、淡い紫色の髪をしたオバサンにお礼を言われたよ」

わたしは夕食に使うサヤエンドウの筋取りをしていた。テーブルの上に新聞を広げ、右側の面にサヤエンドウを積み上げ、筋を取ったら、左側の面に移していく。まだ始めたばかりなので、右側の山の方が高かった。サヤエンドウは店で買ってきたもので

はなく、町内の人からお父さんが貰《もら》ってきたものだ。最近、こういう貰いものがすごく増えた。

「紫色の髪？」

パソコンに向かっているお父さんは、作業を続けながら尋ねてきた。

「年はいくつくらいだ？」

「六十歳くらいかな。高そうな服を着てたよ」

「趣味悪かったか？」

「うん、悪かった。変なブローチつけてた」

それはたぶん西町の田島さんだな、とお父さんは言った。

「この前、猫がいなくなってな。お尋ねチラシを作ってあげたんだ。五百枚くらい作ったかな。町内会長に頼んで、回覧板でまわしてもらったんだよ」

「猫、見つかったの？」

「見つかった見つかった。別のお宅で、すっかり飼い猫状態だったそうだ」

「薄情だね、猫って」

「そうだな。だけど、だからこそ生き残っていけるんだろうな」

お父さんはそんなことを言いながら、会報のためにわざわざ購入したカラープリンターで、試作段階らしい会報を打ち出した。

「ちょっとバランスが悪いな。組み直すか」

「お父さん、どうして急に活動的になったの？」

「川嶋《かわしま》君にな、言われたんだ」

意外な名前が出てきたので、驚いた。

「巧君に？」

「なかなかいい青年だな、彼。最初はあの髪とあの顔だったからびっくりしたけど、気のいい子だ。川嶋君がね、言ってくれたんだ。なにかやってみるといいって。そうすれば、状況は変わらなくても、見る目の方が変わるかもしれないって。彼が高校のとき、友達に言われたことなんだそうだ。考えてばかりじゃ駄目で、動いてこそ見えてくるものがあるんだって」

わたしは凍りついた。その友達とは、きっと加地君のことだ。同じ言葉を、わたしは加地君から聞いたことがあった。わたしの部屋の、ベッドの上で、裸の加地君が言ったのだった。

「あのさ、奈緒子。俺はもう考えるのやめようと思うんだ」

彼の低い声が蘇《よみがえ》ってきた。

「考えるのをやめるって、どういうこと？」

「世の中には動かなきゃ見えてこないものがあるんだよ。俺はそういうのをずっと避けてきたんだ。でも、これからはできるだけ動こうと思ってる。たとえ状況自体は変わらなくても、見る目が……いや俺たち自身が変わるはずなんだ」

彼の肩に頭をのせていたわたしは、話の内容なんてろくに聞かず、彼の肩胛骨《けんこうこつ》を眺めていた。

その滑らかなラインにうっとりしていた。

男の子にしては細い方なのに、服を脱いだ加地君の体はとてもしっかりしていた。骨格が女とは違うのだ。体を合わせると、硬く尖《とが》った骨が当たって、痛いことがよくあった。あの痛みさえも、今は懐《なつ》かしい……。

十代だった加地君の体はまだどこかしらできあがっていない感じがあった。繊細さと無骨さが窮屈そうに隣り合っていて、そのバランスの悪さに気付くたび、わたしは息苦しくなるような愛《いと》しさを覚えたものだった。それはなにかを得ようとしている体であり、同時になにかを失いつつある体でもあった。

加地君の肩にぴったり耳をつけていたので、彼が喋《しゃべ》ると、彼の体からも声が響いてきた。

「立っている場所を変えることによって、見えるものが違ってくる。そういうのが本当に大切なことだって、ようやく気付いたんだ」

そして彼は学校にもろくに行かず、貧乏旅行を始めた。

結果として、その旅行が彼の命を奪った。

わたしはすっかり動揺し、サヤエンドウの筋をうまく取れなくなってしまった。何度やっても、ぽっきりと折ってしまうばかりだった。加地君の言葉を、巧君が口にした。そして今度は、お父さんが口にした。巡り巡って、ふたたびわたしの耳に届いた。そのことを、どう呑《の》み込めばいいのかわからなかった。

やがて玄関チャイムが鳴った。最近、うちのチャイムはよく鳴る。だいたい、お父さんになにかを頼みにくる人だった。ふたりともそれがわかっていたので、わたしではなく、お父さんが玄関に向かった。

サヤエンドウの筋が、うまく取れない。

手が震える。

心が震える。

加地君は死んでしまったけれど、否応《いやおう》なしに、いろんなものをわたしたちの中に遺《のこ》していったのだ……。

やがてリビングに戻ってきたお父さんは、ひどく動揺していた。どこを見ていいかわからないという感じで、視線がさまよっている。

「お父さん？　どうしたの？」

答えを聞く前に、理由がわかった。

お父さんに続いて、妹の絵里がリビングに入ってきた。

急だねとわたしが言うと、まあそうだねと絵里は言った。なぜと尋ねると、春休みだからキャンパス見学に来たと答えた。

「キャンパス見学なんて、この時期にあったっけ」

絵里は返事をしなかった。なにかを確かめるような感じで、生まれ育った家を懐かしむふうでもなく、あちこちに視線を走らせている。お父さんが作ってる途中の町内会報や、それをまとめたファイルを、十秒くらい見ていた。そして、積み上げられた少女マンガを見た。わたしが筋を取っているサヤエンドウの山を見た。

どすん、と音がした。

絵里がバッグを床に置く……というか、落とした音だった。

立ち尽くしているお父さんの脇《わき》を抜けた絵里は、キッチンに向かうと、ジュースのパックとコップを持って戻ってきた。わたしの前に腰かける。パックを派手に傾け、どぽどぽとジュースを注ぎ、喉《のど》をごくごくと大きく鳴らして飲んだ。ほっそりした妹の喉が伸びて、皮膚の下で腱《けん》がぴんと張った。動作のすべてが荒っぽく、要するに絵里は怒っているらしい。

わたしと違って、絵里は派手な顔をしている。目はぱっちりした二重だし、唇はふっくらと肉感的で大きい。そのせいで派手なタイプに見られがちだけれど、実際の絵里はむしろわたしよりおとなしい子だった。

ちょっと前まで男の子と付き合ったことはなかったし、知らない人と話すのは苦手だし、思ったことをなかなか口に出せない。気に入らないことがあっても、ただ押し黙っていたりする。そのくせ、ひとたび我慢が限界に達してしまうと、突然怒り出すのだった。溜《た》まりに溜まった水が、堰《せき》を切って溢《あふ》れるような感じだ。

叩《たた》きつけるようにコップをテーブルに置くと、絵里は言った。

「佐賀の家と、こっちの家は、全然違う」

誰かがその言葉に応じなければならなかったけれど、お父さんにはどうも無理そうだった。末娘の登場に、お父さんはまだ戸惑っていた。作りかけの町内会報を手に持ったまま、同じ場所に立ち尽くしている。

　しかたなく、わたしが尋ねた。

「違うって、どういうこと？」

「こんなに呑気《のんき》に暮らしてるとは思わなかった」

　どうやら、すでに堰は切れてしまっているようだった。

「お父さんとお姉ちゃんはなんにもわかってない」

　そして絵里はいきなり怒り出した。ほとんど八つ当たりといっていい勢いで、ありとあらゆる非難をお父さんに浴びせた。娘に怒鳴られっぱなしのお父さんは、すっかりしょげかえっていた。たった一言も言い返さず、たかが十七の小娘に罵《のの》られるままになっている。そのうち絵里の怒りはわたしに向いた。

「お姉ちゃんもお姉ちゃんだよ。わたしとお母さんが、どういう気持ちで佐賀にいるのか、全然考えてないでしょう」

　考えてるつもりだけど、と言いかけたら、

「じゃあ、なんで電話をかけてこないの」

　そう指摘され、黙り込むしかなかった。

　わたしは佐賀の様子を確かめようとはしなかった。お父さんがこちらに来てから、一度しか電話をかけていない。佐賀の家のことは、ほとんど忘れていた。絵里の言う通り、お父さんと一緒になって、呑気に過ごしていたのだ。

部屋の隅を見ると、お父さんが読破した少女マンガと、わたしが読んでいる『徳川家康』が、小山のように積んであった。

のんびりの象徴だ。

「心配してるなら、電話くらいするでしょう」

「まあ、うん」

「わたしだって、いろいろ考えなきゃいけないことがあるんだよ。もう高三だし、受験とか、将来とか、どんどん迫ってきて、模試は毎月あるし、そのたびに成績が上がったり下がったりして、本当はそういうの誰かに聞いて欲しいのに、お母さんはそれどころじゃないってまだ目を吊《つ》り上げてるし、突然泣き出すし、お姉ちゃんは電話かけてこないし、お父さんはいないし。それでもお父さんやお姉ちゃんだっていろいろ辛《つら》いんだろうって思って、だからわたしも頑張らなきゃって思ってたのに、なんなの、この家の雰囲気。どうして呑気な顔してられるの。わたしとお母さんが、家の中でふたりきりで顔を突き合わせて、なんにも喋らないでご飯を食べてることなんて、お父さんもお姉ちゃんも全然わかってないんでしょう」

一気に毒を吐いてしまうと、絵里はふたたびコップをジュースで満たし、またもや喉を鳴らして飲み干した。返す言葉がひとつもなかった。なにもかも絵里の言う通りだった。

勝手に家出してきたお父さんより、残されたふたりの方が辛い。こちらの家での、お父さんの生活は、いわば非日常だった。うわついた逃げ場だ。それに対し、佐賀の家は日常そのものであって、お母さんや絵里は壊れそうな日常の中に閉じ込められながら暮らしていたのだろう。

そんなこともわからないわたしは姉失格だ。

お父さんは父親失格だ。

「疲れたから、上で寝てくる」

毒づくだけ毒づいた絵里は、そう言って二階にある自分の部屋に向かった。階段を上る足音まで怒っていた。

貴子から電話がかかってきたのは、午後も遅くなってからだった。ベッドに置いてあった携帯電話が鳴って、緑色のランプをしきりに点滅させた。窓から差し込んでくる傾いた太陽の光が、そんな携帯電話を照らしていた。ずっと続くかのような冬も、気がつくと過ぎ去ろうとしていた。ちょっと前ならこの時間はもう暗かったなと思いつつ携帯電話を取ると、貴子の声が聞こえてきた。

「さっき伊沢君たちと会って、今から高校のころの友達で飲もうってことになったの。それでわたしが女の子のメンツを集めてるんだけど、奈緒子も来てよ」

高校を卒業してからも頻繁に連絡を取っているのは貴子だけだった。他の子は引っ越したり、もともと遠くに住んでいたりで、結局彼女だけが残ったという感じだ。

「伊沢君って誰だっけ」

相変わらず奈緒子は忘れっぽいね、と貴子が笑った。

「二年のとき、同じクラスだった人。ほら、顔が濃くてさ」

「あ、わかった。縄文君？」

「そうそう。縄文君」

肯《うなず》く貴子の声は笑っていた。確かにそういう男の子がいた。やたらと彫りの深い顔立ちで、誰かが歴史の教科書に載っている縄文人に似てると言い出したら、それがあだ名になってしまったのだった。

「伊沢君、元気にしてた？」

「元気だよ。わたしも久しぶりに会ったんだけど、ちょっとびっくりした。伊沢君、やけにかっこよくなってるの。髪を伸ばしてるのが、彫りの深い顔と合ってて。ほら、彼ってかなりの癖毛だったでしょう」

「そうだったっけ」

「本当に覚えてないんだね、奈緒子は。とにかく、そうだったの。それでね、伸ばしたせいで癖がいい感じになってて遊び人みたいなの。高校出ると女の子は変わるけど、男の子もけっこう変わるんだなって思った」

「もしかして気に入った？」

「どうかな」

そんな言葉が聞こえたあと、声が途絶えてしまった。かすかなノイズだけが響いている。やがて声が戻ってきた。

「まあ惜しいってところかな」

「確認してたの？」

「うん。ちょっと離れたところにいるから。今から出てこられる？」

あまり気乗りはしなかったものの、絵里の言葉に落ち込んでいたこともあって、気分転換を兼ねて出かけることにした。出かける前に、絵里の部屋のドアをノックしてみたけれど、返事はなかった。眠っているのかもしれない。

集合場所である駅前に行ったときには、すでに十五人くらい集まっていた。貴子の方が先に気付き、声をかけてきた。輪の中に入ってから、来るのではなかったと後悔した。男の子の方はともかく、女の子の中に親しくしてた人がほとんどいなかった。何人かの女の子がわたしの方を見て、そばにいた子となにか小声で話し始めた。直《じか》に声をかけてきた子は二、三人しかいない。けれど今さら帰るわけにもいかないし、まあ貴子と話していればいいかと思いつつ、みんなで居酒屋に移動した。歩きながら目を閉じると、周りの音が急にはっきり聞こえるようになった。男の子が女の子に声をかけている。早足で歩いている人がいる。やってくる電車がある。去っていく電車がある。小さな女の子がお母さんと叫ぶ。ずいぶん遠くの方でギターを弾いている人がいる。軽やかに弾《はじ》かれる弦のイメージが頭に浮かんだ。

ゆったりしたスカートをはいて歩くと、時々不安になることがある。揺れるスカートの裾《すそ》が膝裏《ひざ》に当たって、その擦れる感触がなぜか心細く感じられるのだ。希望も、夢も、人にはとても言えないようなことも、薄っぺらい一枚の布で隠されているからかもしれない。

ずいぶん前に、なにかの本で読んだことがある。フランスの貴婦人が愛人と密会していたところ、夫である伯爵《はくしゃく》がやってきた。貴婦人は愛人を自らのスカートの中に隠し、伯爵と何気なく会話をして、危機をやりすごしたそうだ。スカートの中には、そんなものだって隠せてしまう。

同じように大きなものを、わたしは隠せるのだろうか。

平日でも店はわりと混んでいて、せっかく集まったのに、ふたつの席に分かれて座ることになった。ふたつの席は隣り合っているわけでもなく、けっこう離れている。

わたしと貴子が座った方は六人がけで、残りの四人はみんな男の子だった。卒業してから二年しかたっていないのに、誰もが意外なくらい大人びており、高校時代の面影を頑張って探さなければならなかった。わたしもみんなと同じくらい変わっているのだろうか。変わっていればいいと思う自分がいる一方で、変わっていなければいいという気持ちもあった。

「本山さん、久しぶりだよね」

向かいに座った伊沢君が、愛想よく笑いながら話しかけてきた。ウェーブのかかった髪と、彫りの深い顔のせいで、確かに遊び人みたいになっていた。それでも笑うと以前の朴訥《ぼくとつ》な感じが出る。

「そうだね。伊沢君、すごく変わったね」

「髪をちょっと伸ばしただけなのにさ、みんなに同じこと言われるんだよね。そんなに変わったかな、俺」

「すごく遊んでる人に見えるよ」

参ったな、と伊沢君はぼやいた。しかし顔は嬉《うれ》しそうだった。

わたしたちの席は壁際《かべぎわ》にあって、もたれかかっていた壁はただのコンクリート打ちっ放しのように見えたけれど、実はきれいな木目がついていた。細工でつけたとは思えないほどちゃんとしており、触ってみると本物みたいにでこぼこしている。指の表面にざらりとした感触がいつまでも残った。

それは本物の木目なのだと、伊沢君が教えてくれた。彼は今、建築学科に通っているのだ。

「どうやって木目をつけるの」

「普通はつるりとしたパネルで型枠を作ってコンクリートを流し込むんだけど、ここは本物の木で型枠を作ったんだと思うよ。コンクリートが固まってから木をはずすと、その木目が残るというわけ」

「そんなことできるんだね」

なかなか手が込んでいるものだと感心しながら、しばらくざらりとした木目の痕跡《こんせき》を撫《な》でていた。うねりながら広がっていくラインを指でなぞった。木なんて使い捨てられていくものなのだろうけれど、こうして姿を残すことができるのだ。

それぞれの近況を話し終わったあとは、その場にいない人の話になった。もう結婚した人もいたし、アメリカとかスペインに行った人もいた。かつては同じ校舎で同じ向きに机を並べていたわたしたちは、今では違う場所へと広がりつつあった。黒板ではなく、まったく違うものを見ようとしていた。いろんな人の話題が出たけれど、加地君の話題だけは出なかった。きっとわたしに気を遣っているのだろう。もしここにわたしがいなかったら、みんなは加地君のことも話したはずだ。

そのことを、思い知らされることになった。

トイレに行こうとして、別の席で飲んでいる友人たちのそばを通ったときだった。通路と席のあいだに高い衝立《ついたて》があって、中の様子はよく見えなかった。加地君ってさ、という声だけが聞こえてきた。

「加地君ってさ」

それは吉田さんの声だった。

「死んじゃったんだよね」

「そうそう。事故で。テレビで見て、俺、びっくりした」

びっくりしたびっくりした。そこにいるみんながオウムのように繰り返した。ここを離れるべきだと思ったけれど、わたしは衝立の陰に立ち尽くしたままだった。足が動かなかった。

「一緒に死んじゃった子って、やっぱり加地の彼女？　婚前旅行って奴《やつ》？」

「わたし、本山さんとまだ付き合ってたって聞いたよ」

「え、本当に？　じゃあ、なんで他の女と一緒にいたんだよ？　だって抱き合って死んだんだろ？　本山さんと付き合ってるのに、なんでそんなことになってるわけ？」

「さあ？　浮気？」

「浮気した相手と死んじゃったの？」

「だったりして」

ほんの一分か二分で、事実の断片にたっぷりの想像と悪意がデコレーションされ、大げさな話ができていった。加地君はあの派手な顔をした女の子と婚前旅行に出かけ、わたしは捨てられたか騙《だま》されたかしていたらしい。陰で聞いていると、男の子たちではなく、わたしと同性である女の子たちが話を誘導しているのがよくわかった。

こういうことに関しては、女の子の方がよほど残酷だ……。

もしわたしと親しい子が席にいたら、こんな流れにはならなかっただろう。けれど仲のいい人はいなくて、むしろあまり仲のよくない女の子たちが集まっていた。彼女たちにとって、わたしは格好の標的だった。違う、とわたしは心の中で呟《つぶや》いていた。

加地君と彼女は抱き合ってなんかいない。手を繋《つな》いで死んだわけじゃない。婚前旅行なんかじゃない。

「まあでも、好きな子と一緒に死んだんだから、加地君も幸せだったんじゃないの」

その言葉が限界だった。わたしはトイレに行くのをやめ、振り返った。早く店を出たかった。出口はどちらだろう。暗くてよくわからない。自分が今どこにいるのかもわからない。なぜここにいるのかも。きょろきょろと辺りを確認し、ようやく出口を見つけた。

歩き出した途端、貴子がやってきた。

「どうしたの。遅いから様子を見に来たんだけど」

尋ねる彼女に、わたしは帰ると告げた。声が真っ平らになっているのが自分でもわかった。バッグから財布を取り出し、五千円札を貴子に渡すと、出口に向かった。

すぐに貴子が追いかけてきた。

「ねえ、奈緒子」

エレベータのところで追いつかれた。

「なにかあった」

「ううん、別に。ちょっと気分が悪くなったから」

下手な嘘《うそ》だった。

「送っていこうか」

「いい。大丈夫だから」

「具合が悪そうだよ」

大丈夫大丈夫、と全然大丈夫じゃないのに繰り返した。大丈夫大丈夫。戸惑う貴子をホールに残し、わたしはエレベータに乗り込んだ。

扉が閉まる瞬間まで、貴子はわたしをじっと見つめていた。

ありがたいことにエレベータには誰も乗っていなくて、その狭い箱の中にいるのはわたしだけだった。壁にもたれるようにしゃがみこみ、両膝を抱えこんだ。自分が吐く息の音が、ずいぶん大きく聞こえた。息の最後が震えているのがわかった。泣いているのではないかと不安になって顔に手をやってみたけれど、頬は乾いていた。

「加地君」

呟いた声は、すぐに消えてしまった。その呼びかけはどこにも届かなかった。

ぶらぶらと夜道を歩いて家に向かう。歩いているうちに少し息苦しくなってきて、とめていた上着のボタンをはずした。胸元に冷たい空気が触れ、とても気持ちよかった。締めつけていた生地の感触を拭《ぬぐ》いたくて手をやると、鎖骨に指が触れた。なぞってみたそれはあまりにも頼りなく、ひどく心細くなった。

鎖骨から離した指先にふと、コンクリートのざらざらした感触が蘇《よみがえ》ってきた。木目のついたコンクリートの壁。型枠に使われた木は燃やされてしまったかもしれないけれど、その模様は今も、壁に残されている。

夜の闇《やみ》が滑らかにわたしを包み、流れ去っていく。

小さな平屋の前を通ったら、室内のテレビの輝きが、窓の磨《す》りガラスにぼんやりと映っていた。赤や青といった派手な色がせわしなく瞬《またた》いている。その光を見つめているうちに、噂話《うわさばなし》で盛り上がっていた同級生たちの声が蘇ってきた。なにもかも、彼らの言う通りなのかもしれない。わたしは世の中のきれいな部分を見ようとしているだけで、そんなのはただの幻想なのだろうか。そう、わたしは全然きれいではない。

加地君のことを疑っていないなんて嘘だった。一緒に死んだ女の子となにかあったのではないかと、わたしは恐れ続けていた。

死ぬ前日から、加地君と彼女は行動を共にしていた。

同じホテルに泊まった。

同じバスに乗った。

なにもなかったかもしれないけれど、なにかあったかもしれない。

彼と過ごした日々の記憶があまりにも美しく、そして過ぎゆく時間と共にますます澄んでいくものだから、わたしは加地君をそのまきれいな場所に置いておきたかった。加地君の姿も、思いも、純粋さも、届かぬ星の光のように輝き続けて欲しかったのだ。衝立の向こうにいたのは、かつてのクラスメイトたちではなく、わたしの心の一部だった。わたし自身が抱いている気持ちを、彼らが声高に語っていただけだった。

彼らの声は、わたしの声だった。

家が見えてきたころ、巧君から電話がかかってきた。出るかどうか迷ったけれど、誰かにすがりたい気持ちが勝り、受信ボタンを押した。

「今、どこ？」

いきなりそう尋ねられた。

「家の近くだけど。どうして？」

「外？」

「うん」

「じゃあ、上を見てみろよ。月がさ、きれいだぞ」

言われた通りに顔を上げると、空に大きな月が浮かんでいた。冴《さ》え冴《ざ》えとした光を放っている。こんなに大きな月が頭上にあったなんて、まったく気付かなかった。足下ばかり見て歩いていたからだろうか。月の大きさと明るさに、少し心が軽くなった。まるで月の光に洗われたような気持ちだった。月はただ勝手に輝いているだけなのに、見つめるわたしたちはその光にいろいろなものを重ねてしまう。心を動かされる。

「本当だ。きれいだね」

声が自然と弾んだ。

「月を見ながら散歩しようぜ。今日はわりと暖かいしさ」

彼の提案はとても魅力的だった。夜空に浮かぶ月は本当に大きくてきれいで、その下をふたりで歩くのは楽しそうだった。こういうちょっとしたイベントで、重苦しい気持ちを振り払いたかった。

家で待っていると、十分ほどで巧君が迎えに来てくれた。

「どこへ行こうか」

「とりあえず、神社の方へ行ってみようぜ」

「うん」

ふたりで家を出る。その途端、月の光で、わたしたちの影が道路にすっと伸びた。

巧君の影はわたしの影よりも少し長くて、幅も広かった。わたしは自分の立ち位置を変えて、巧君の影に自分の影を重ねた。すっぽりと収まる。巧君の中に入っている。

「なにしてるんだ？」

巧君が不思議そうに尋ねてきた。

「なんでもないの」

「そう？　笑ってなかった？」

「ちょっとね。思い出し笑い」

本当のことを言うのは恥ずかしかったので、嘘をついた。ふうん、と彼は肯《うなず》いて、道の向こうを指差した。

「行こうぜ」

当たり前のように手を繋いで歩き出した。今度は巧君の手の中に、わたしの手がすっぽりと収まっている。ぎゅっと握ったら、ぎゅっと握りかえしてくれた。笑ったら、笑い返してくれた。いつものことなのに、夜の空気のせいか、まぶしい月の光のせいか、なにもかもが特別に感じられる。まるで小さな子供に戻ったような気がした。巧君もわたしも七歳とか八歳くらいに思える。なぜそんなふうに感じるのかわからなかったけれど、ちっとも嫌な感じではなかった。心がわくわくした。

夜の道は、どうしてこんなに魅力的なのだろうか。

三月とはいえ、さすがに夜はまだ少し寒い。しかしそれでも、凛《りん》とした冬の冷たさは過ぎ去り、確かに春の気配が漂っていた。こうして時は巡っていく。わたしたちが立ち止まっていようが、後ろばかり振り返っていようが、お構いなしだ。そのことが、なぜだかありがたく感じられた。

しばらく歩いてから、わたしは絵里のことを話した。妹の怒りは実に正しくて、間違っているのは呑気《のんき》に暮らしているわたしやお父さんの方だった。

そんな愚痴を巧君は聞いてくれた。

「絵里に悪いことしちゃった。よっぽど怒ってるらしくて、ろくに口をきいてくれないの」

「疲れてるんだろう。佐賀から来たんだからさ」

「そうかもしれないけど。もっと疲れさせちゃった」

わたしはがっくりと肩を落とした。わたしの影も肩を落とした。

「姉失格だなって、反省してる」

「それがわかっていれば、いいんじゃないかな。どこかで取り返せるよ」

「取り返せるかな?」

「だって家族だろう」

巧君のこういう素直さが、わたしは好きだった。

育ち、という言葉を思い浮かべてしまう。環境が人を作るというのは本当だ。彼の家に何度か行ったことがあるけれど、うちとは全然雰囲気が違った。お父さんもお母さんも、それにお姉さんも巧君そっくりで、わたしの家族よりも声が大きかった。ちょっとガサツで、明るくて、騒がしくて、かなり楽しいお家《うち》だった。

そんな巧君のおかげで、話しているうちに少し気持ちが戻ってきた。

「まあ、元気出せ」

「うん」

「俺、おまえのお父さん、好きだぞ。いいオジサンだよな。含むところがないしさ。俺の髪や顔を見ても嫌な顔しなかっただけで、たいしたものだよ。あのお父さんなら、どうにかするさ。それに、たとえ駄目だったとしても、家族が全部壊れるわけじゃないんだし」

巧君が言うと、本当にそう思えてくるから不思議だ。

「奈緒子とお父さんの関係は残るし、絵里ちゃんとの関係も残るし、お母さんとの関係も残る。ありがたいことに、俺たちはもう小さなガキじゃないからな。これが十歳とか十五歳とかだったら大変だったろうけど。今なら、なんとか受け止めきれるさ」

いつかの、お父さんとの会話を思い出した。年を取るっていいねと言ったら、お父さんはその言葉を書いたマンガ家のことを褒めていた。そう、年を取るって、いいことだ。しょっちゅう迷って、たまには泣きじゃくって、それでも歩き続けて、だんだん大人になる。やがて、いろんなことを受け止められるようになってゆく。

わたしたちはひたすら夜道を歩いた。角を曲がるたびに、わたしたちの影が前に行ったり後ろに行ったり、右に行ったり、左に行ったりした。

夜の町は、わたしの知っている昼の町とは違っている。何度も通ってきた道も、まるで別の道のように見えた。このまま歩き続けたら、どこか他の世界に行ってしまいそうに思えた。もしそれで帰ってこられなくなるとしても、わたしはきっと歩き続けるだろう。ハーメルンの笛に誘われたネズミたちのように。わくわくした気持ちがわたしたちの足を前へ前へと運び続けた。そうしてしばらく歩いているうちに、本当に自分たちがどこにいるのかわからなくなってしまった。

「あれ、ここ、どこだろう」

巧君は辺りをぐるぐる見まわした。

「神社は過ぎたよな」

「うん、だいぶ前に」

「じゃあ、西町の辺り？」

「どうかな。寿《ことぶき》町くらいまで来ちゃった気がするけど」

「そんなに歩いたかな」

「歩いてるよ。ほら、月の位置があんなに高くなってる」

「あ、本当だ」

月はもう、空のてっぺんまで昇りきっていた。長く伸びていたわたしたちの影は、いつの間にか足下に小さく竦《すく》んでしまっている。それが少し寂しかった。わたしの影を、巧君の影に重ねることができない。

「一時間くらい歩いてるな、これは」

「あっという間だったね」

「うん、あっという間だった。楽しかったな、なんかさ」

「そうだね、楽しかったね」

今も楽しいよ。心の中でだけ言っておく。巧君とこんな時間を過ごせるときは、いつだって楽しいんだよ。迷って、どうやったら家に帰れるのかもわからないくせに、わたしたちは呑気に笑った。巧君が辺りを確認し、大丈夫だなって感じで顔を近づけてきた。わたしは顔を上げ、彼のキスに応じた。ほんの少し唇を重ねるだけの、中学生がするみたいな、たわいもないキス。だけれど、とても甘い。

「あっち行ってみようぜ」

適当な方向を、巧君が指差す。

うん、とわたしは肯いた。こうして彼といられるのなら、このまま迷い続けていてもかまわないと思っていた。

だけど、すぐに帰り道は見つかってしまった。

「なんだ、こんなところにいたのか」

つまらなさそうに、巧君が言った。

よく知らないと思っていた町の、よく知らないと思っていた角を曲がったら、いきなり馴染《なじ》みのレンタルビデオ店の看板が目に入ってきたのだ。赤いネオン看板のチラチラした輝きはあまりにも現実的で、さっきまでの不思議な感じが一気に消えてしまった。レンタルビデオ店はまだ営業しているらしく、入り口から煌々《こうこう》と光が漏れてきている。

「本当だ」

わたしの声もつまらなさそうだった。

すごくたくさん歩いた気がしたのに、家から一キロと離れていない場所だった。あのレンタルビデオ店の方へ歩いていって、三番目の交差点を左に曲がって、最初の角を右に曲がれば、あとはまっすぐ五分歩くだけで家に着いてしまう。

おかしいな、と巧君がぼやいた。

「全然知らないところを歩いてる気がしたんだけど。この辺だったら何度も通ってるし、迷うわけないのに、なんで迷った気がしたんだろう。奈緒子、俺たちのいる場所わかってた？」

「ううん。全然わからなかったよ」

「そうだよな。変だよな」

本当に変な話だ。振り返ってみると、そこに広がっているのはわたしたちが育ってきた町だった。あの電柱も、古びた自動販売機も、道の曲がり具合も、ちゃんと覚えがある。なのに、さっき通ったときは、確かに知らない町だった。

「そういう話があったよね」

わたしは記憶をたぐり寄せながら言った。

「いつの間にか、知らない町に迷い込んじゃう話」

「ああ、あった気がする」

「だけど、やっぱり今のわたしたちと同じように、気がつくと元の町に戻ってるんだよね」

「宮沢賢治の『銀河鉄道の夜』もそんな話だったよな。いつの間にか銀河鉄道に乗ってるんだけど、またいつの間にか町に戻ってて。あの話、いくつもバージョンあるって知ってる？」

「え？　本当に？」

「前に家族で花巻に行ったとき、宮沢賢治記念館に寄ったんだ。姉ちゃんが宮沢賢治好きだから、行きたいって言い出して。記念館に生原稿が展示してあったんだけど、何度も何度も書き直してあった。宮沢賢治って、生きてるときはほとんど原稿売れなかったんだってさ。だから同じ原稿を何度も書き直してたらしい」

「内容、変わってるの？」

「最後の方はごっそり書きかえてあったよ」

そんなことを話しながら、わたしたちは家に向かった。一度魔法が解けてしまうと、目に入ってくるのは、なにもかもが見慣れた風景だった。ああ、とわたしは思った。つまらないな。魔法というのは、こんなふうに解けてしまうのだ。そうして魔法の解けてしまった場所で、わたしたちは生きていかなければいけないのだ。

それが目に入ってきたのは、偶然だったのだろう。

わたしの心を揺るがせたのも、やはり偶然だったのだろう。

「なに、どうしたの」

いきなり立ち止まったわたしに、巧君が尋ねてきた。

わたしはそれを指差した。

「ほら、そこの溝」

「溝？　ああ、これのこと？」

覗《のぞ》き込んだ巧君が、なんだという顔をした。溝といっても、本当は家と道路の隙間《すきま》だ。わたしたちが立っている道路から二メートルくらい低い土地に家が立てられているので、その幅一メートルくらいの隙間が深い溝のように見えるのだった。

「この溝がどうしたんだ？」

「落ちたの」

「誰が？」

「加地君」

言ってしまってから、巧君の前で、加地君の名を口にするのが久しぶりだということに気付いた。決して意図的に避けていたわけではないのだけれど……ううん、それは嘘《うそ》だ……意図的に避けていたのだ……わたしと巧君のあいだで加地君が話題になることはなかった。わたしたちは彼の存在を、名前を、遺《のこ》していった影を、不器用に避け続けてきたのだ。

「この溝にね、加地君、落ちたの。そんなこと滅多にしないのに、塀の上に立って、かっこつけて、片足立ちして、危ないってみんなが言ってるのに笑って、そうしたら落ちたの」

急に涙が溢《あふ》れてきた。

巧君が慌《あわ》ててるのがわかったけれど、抑えられなかった。

「ちょっと前まで得意気に笑ってたくせに、加地君、痛い痛いって泣いてた。膝《ひざ》を擦りむいて、いっぱい血が出たの。珍しくバカなことして、平気平気って繰り返してたのに、落ちたの。こんな深い溝に」

子供のとき、この溝は恐ろしく深く見えた。

地獄の穴のようだった。

大人になった今では、そこまで深くは感じないけれど、やっぱり危険な場所だった。

いちおう塀はあるものの、膝くらいの高さしかなくて、その向こうは急角度の石積み壁だ。

十一歳の加地君は、ここに落ちた。

八年後、もっともっと深い穴に落ちた。

そして這《は》い上がれなかった。

「加地君、落ちちゃった」

わたしは同じ言葉を繰り返した。

「落ちちゃったの、加地君」

今まで避けてきた彼の名前が、わたしの口から溢れ出してきた。避けてきたその分を取り戻すかのように、ひたすら彼の名前を呼んだ。加地君。加地君。口にするたび、思いも溢れ出してきた。加地君。月光に染まった夜の空気がびりびりと震えていた。

月が空のてっぺんに昇っているせいで、溝の底まで光が届いていた。小さな水たまりが見えた。加地君がここに落ちたとき、まだ小学校五年生だったわたしは慌てて駆けつけた。赤いランドセルを背負っていて、バックルをちゃんととめてなかったから、走るとカタンカタンと音を立てた。そうしてカタンカタンとバックルを鳴らしながら駆けつけ、溝を覗き込んだ。加地君は変な格好で底に横たわっていた。

「加地君！」

「加地！」

「おい、加地っち！」

そばにいたみんなも駆け寄って、それぞれに彼の名前を呼んだ。わたしは加地君が死んでしまったと思った。みんなが声をかけても、ぴくりともしなかったからだ。誰だったかは覚えてないけれど、そばにいた女の子が、

「死んじゃったの？」

と不安に震える声で言った。けれど、その直後、加地君が顔を動かした。そして、なにが起きたのかわからないという感じで、辺りを見まわした。加地君は上半身を起こしたものの、それ以上は動けなくて、痛い痛いと言って泣き始めた。まだ小さかったわたしたちは、どうやって彼を引き上げればいいかわからず、ただ途方に暮れていた。クラスのリーダー格だった望月君が誰か呼んでくると言って駆け出した。彼のあとを、数人の男の子たちが追う。わたしと、何人かの女の子がその場に残された。吉田さんという女の子は、自分が落ちたわけでもないのに、しくしくと泣き出した。吉田さんは高校に入ってから、とんでもない男たらしになった。顔も性格もかわいらしかったせいで、次々と男の子に告白されて、次々と付き合い、次々と彼らを捨てていた。女の子たちにはものすごく嫌われていたけれど、男の子たちにはものすごく大切にされていた。

加地君の溝落ち事件のときも、男の子たちから評判を取ったのは吉田さんだった。

「吉田は加地のために泣いたんだよな。優しいよな」

男の子たちは口々にそう言って、吉田さんを褒めた。

涙くらいで騙《だま》されるのだから、男の子なんてちょろいものだ。

吉田さんみたいに泣くこともできないわたしは、ただ溝の底で呻《うめ》いている加地君をぼんやり見ていた。やがて加地君が顔を上げた。右の頬を擦りむいていて、血が赤く滲《にじ》んでいた。しかも水たまりに浸《つ》かったものだからドロドロになっている。

わたしと加地君の目が合った。

あのとき、加地君の顔に浮かんだ表情を、わたしは今もはっきり覚えている。加地君は唇を嚙《か》みしめた。そして、決然とした目になり、頰を伝う涙をごしごし拭《ふ》いた。女の子であるわたしに、みっともない姿を見せたくなかったのだ。足なんて棒切れみたいに細くて、声は女の子と同じように高くて、髭《ひげ》だって生えてないのに、加地君は確かにあのとき男の子だった。

加地君は呻きながら立ち上がると、石積み壁を登り始めた。

頑張れ、とわたしは思った。声は出なかったけれど、心の中では叫んでいた。頑張れ、頑張れ、加地君。もう少しだよ。ほら、あとちょっと。そこの出っ張りに手をかけて。

途中で加地君は足を滑らせ、また落ちそうになった。わたしは怖くて目を閉じてしまった。恐る恐る目を開けると、加地君はまだ壁にへばりついていた。そして手を伸ばした。足を上げた。みっともないヤモリみたいに壁を登ってきた。やがて、彼の指先が、壁の一番上にかかった。わたしは自然と手を差し出していた。加地君は右手でそのわたしの手を取った。

わたしたちはぎゅっと手を握り合った。

離すものか、とわたしは思った。両手で加地君の手を握り、腕も体もいっぱいに伸ばして、体重を後ろにかけた。泥水に濡《ぬ》れた加地君の手はぬるぬるして気持ち悪かったけれど、それでもわたしは握りしめた。

壁を這い上がった加地君は、倒れ込むようにして、道路の上に転がった。反動で、わたしも倒れてしまった。

ふたりして汚れた道路に転がり、お互いを見つめつつ、息をはあはあいわせていた。

「本山、ありがとう」

しばらくしてから、加地君は男の子の顔で、男の子の声で、そう言った。

「手を貸してくれてありがとう」

わたしが手を貸したのは確かだけれど、壁を登ってきたのは加地君自身だった。彼は自分の力で自分を助けたのだ。

だから彼が外国でバス事故に遭ったという話を聞いたとき、わたしは彼が帰ってくると信じていた。なんでもない顔で、またつまらないおみやげを持って、いつものように突然帰ってくるのだろうと。

でも、彼は帰ってこなかった。

今度は這い上がれなかった。

なぜ他の女の子と死んでしまったのだろう。どうして隣に座っていたのはわたしではなかったのだろう。

わたしが彼の手を握りしめたかった。

抱き合っていたかった。

「奈緒子、なあ、おい」

弱々しくわたしの名前を呼んだあと、巧君が背中をさすってくれた。それでもわたしの涙はとまらず……むしろよけいにぼろぼろと溢れてきた。わたしは子供のように立ったまま泣き続けた。なぜ自分が泣いているのかわからなかった。加地君がこの世にいないことが悲しいのだろうか。加地君を裏切った自分を許せないのだろうか。下らないおみやげを買ってきて欲しかったのだろうか。なにかを抱えきれなくなっているだけなのだろうか。それともみんなの陰口がこたえているのだろうか。

　涙をぐっと拭いた。

　自分勝手な涙だ、こんなの。流せば流すだけ、どんどん自分が薄汚くなっていく気がする。わたしは加地君を裏切った。彼が死んでから一年かそこらで、他の男の子と付き合い始めた。待つと言って送り出したのに待たなかった。泣いて彼の死を悼《いた》む資格などない。偽善も偽悪も同じように下らないことだけれど、偽悪の方がまだ呑《の》み込みやすい。

　涙を荒っぽく拭いた。

「行こう」

　拭きながら、歩き出す。言葉だけは、強く放とう。せめて言葉だけは。

「行こうよ、巧君」

　戸惑った様子で、巧君はわたしのあとをついてきた。

「あのさ、奈緒子」

「なに」

「いや、まあ……」

言葉は消えてしまった。しばらく待ってみたけれど、巧君は黙ったままだ。

わたしはひたすら歩いた。

溝を遠ざけた。

加地君、悪いけど、わたしは生きていくよ。君のことを忘れるよ。忘れられないだろうけど、だからこそ忘れようとするよ。それでいいよね。ううん。違う。そうじゃない。忘れたりなんかしないんだ。むしろ、しっかり覚えておいて、消し去らないで、利用するんだ。加地君、死んだ君のことを、いつか懐《なつ》かしく語るような薄汚い大人になるよ。そうして飲み会の席でみんなの同情を誘うよ。できるかぎり汚く、こすっからく、君の死を使わせてもらうよ。

歩きながら、できないことばかり考えているわたしがいた。

だけど、いつかできるようになるのだろう。

そのことがわかる程度には、わたしは大人だった。

まあ、どう考えても妹のキャンパス見学は嘘だった。なにしろ、家から一歩も出ないのだ。お母さんに頼まれたか、頼まれなかったとしても無言のなにかを感じて、こちらの家の様子を見に来たのだろう。

絵里がやってきた途端、我が家の呑気《のんき》な暮らしはあっさりと消し飛んだ。用もないのに絵里はずっとリビングにいて、わたしやお父さんの動きを逐一監視していた。その視線は鋭く、明らかにわたしたちを責めていた。三人で摂《と》る夕食は最悪だった。会話はまったくと言っていいほどなかった。醬油《しょうゆ》取ってとか、ちょっと辛いねとか、そんな言葉がせいぜいだった。さすがにお父さんは参っていたし、わたしも参っていたし、なにより絵里自身が参っていた。

この状況が佐賀でずっと続いていたのだとわたしは悟った。なのに、こちらに来てみたら、わたしとお父さんは呑気に暮らしていたというわけだ。お父さんは町内会活動にいそしんだり、わたしと本の貸し借りなんかしていた。絵里がキレるのも当たり前だった。

どこかでちゃんと謝らなければいけないと思いつつ、しかしきっかけを摑《つか》めないまま、ただ一日二日と時間だけが過ぎていった。わたしはもちろん、ずっと玄関で寝ていた。絵里はわたしになにか言いたそうだったけれど、なにも言ってこない。

そうして絵里が来て三日目の夜、そろそろ寝ようと玄関の布団《ふとん》に入ったら、二階から絵里が下りてきた。

「お姉ちゃん」

「なに」

また怒られるのだろうか。

「一緒に寝ていい？」

びっくりした。

「いいけど」

「じゃあ、お願い」

絵里がするりと布団に入ってきた。こんなふうに、一緒に寝るのは本当に久しぶりだった。小学生のころ以来だろうか。最初はお互いに緊張していることがわかって、わたしたちはろくに体を動かさず、息も殺し、天井を黙って見つめていた。けれど、時間というのはたいしたもので、だんだんとその緊張がほぐれてくる。なにより、わたしたちには積み重ねてきたものがあった。バービー人形が欲しくて泣き喚《わめ》いた絵里の顔をわたしは知っているし、絵里だって同じようにわたしのみっともないところを知っている。つまるところ、わたしたちは家族なのだった。

「お姉ちゃん、ごめんね」

夜の空気が、そんなふうに震えた。

「ごめんって、なにが」

「わたし、融通がきかないから。すぐに人を責めちゃうんだ。それで彼氏にも逃げられちゃったし」

「え？　ヨシ君と別れたの？」

「そう」

　ヨシ君というのは、絵里の彼氏だった。最初は佐賀での生活をぶうぶう嘆いていた絵里が、やがて嘆かなくなった。しばらくしたら、ヨシ君とやらの話題が出始めた。たぶん絵里の最初の恋人だ。

「原因は？」

「彼ね、他の女の子と会ってたの。気付いてたけど、ただの友達かなって思ったし、はっきりさせるのが怖いから黙ってたら、いつの間にか相手の方が本命になってて、わたしが捨てられちゃった」

「そうなんだ……」

「でも、よりを戻すチャンスあったんだ。彼もわたしに申し訳ないと思ってたみたいだし。だけど、そこで責めちゃって。責めるんだったら、もっと早く責めなきゃいけなかったんだよね。タイミング、いつもずれてる」

　絵里は右腕を顔の上に置いた。泣いているのだろうか。

「今回も、ごめん。お姉ちゃんを責めてもしかたないんだよね。悪いのはお父さんだし。わたしが勝手に思い詰めて……ヨシ君のこともあったから……勝手に怒ってるだけなんだ。考えてみれば、お父さんとお姉ちゃんが呑気に暮らしてるのだって、それなりに理由があるんだと思うし」

「いや、絵里が怒るのは当然だと思うよ」

「そうかな」

「うん。だから、わたしもごめん」

玄関に敷いた布団の中で、姉妹揃《そろ》って謝り合った。それがおかしくて、わたしたちは少しだけ笑った。巧君と見た月はまだそんなに欠けていないらしく、磨《す》りガラスをまばゆい金色に染めている。

「お父さんが家出した理由、わかったよ」

ちょっとまじめな声で、絵里が言った。

「え、なんだったの」

「会社、辞めたいんだって」

「お父さんが？　なんで？　あ、リストラ？」

思いついたことを適当に言ってみたら、絵里は首を振った。

「違う違う。リストラだったら、まだよかったと思うんだよね。お父さん、この春に昇進することになったんだって。お母さん、大喜びしてた。ほら、お父さんの会社って、あの辺りじゃかなり大きい方でしょう。だから、お母さんが行ってるサークルも会社の人が多くて、そういう場所での付き合いって、旦那《だんな》の肩書きで上下関係が決まっちゃうんだよ。知ってた?」

「ああ、聞いたことある」

「不思議だよね。お父さんが偉いからって、お母さんまで偉くなるわけじゃないのにね」

「うん。だけど、なんかわかるよ」

「わたしもわかる。でも、おかしいとも思うよ」

「そうだね。おかしいね」

きっとお母さんは有頂天だったのだろう。辞令の紙を何度も何度も見て、ありがたく拝んだりしたかもしれない。良くも悪くも、お父さんとお母さんは、そういう価値観の中で生きてきたのだった。

「昇進するのに、お父さんは辞めたいの?」

そこが問題なんだよね、と絵里は言った。

「お父さん、友達と会社作ろうとしてるらしいよ。自分が考案したポンプを売る会社をやりたいって、内示が出たすぐあとに言い出したんだって。夢を叶《かな》えたいって。お母さん、すごく怒ってた。まったく理解できないって感じ。お母さんがあんなに怒るの、初めて見た。こっち来る前、お母さんに事情を打ち明けられたんだけど、もうすごかったよ。最初は冷静に話そうとしてたけど、途中からどんどん熱くなっちゃってさ。夢じゃ生活できないとか、あんないい会社を捨てるなんて正気の沙汰《さた》じゃないとか、すごい大きな声で言ってた。お母さん、テンパってて、ちょっと怖かったな」

「夢か……。第二の人生ってことなのかな」

「お父さんにも、ちゃんとそういう夢とかあったんだね。当たり前かもしれないけど、びっくりした」

「うん、びっくりする」

「だけど、考えてみればやっぱり当たり前なのかなって思う。わたしやお姉ちゃんに夢があるんなら、お父さんにだってあるよね。ポンプってのがよくわからないけど。それで、お母さんにとっては、お父さんの昇進が夢だったんだよね。お父さんの考えてること、お母さんはまったく受け入れられないみたいだった。わたし、聞いてて辛《つら》くなったもん。違うんだよね、価値観が。お父さんの夢を叶えるってことは、お母さんの夢を潰《つぶ》すことなんだから。浮気とかの方が、まだわかりやすくてよかったよ。お母さんって、ちょっとお姉ちゃんに似てるところがあるでしょう。のんびりしてるっていうか。だから、あんなに怒るの見てびっくりしたんだけど、それって不安が原因だと思うんだ。なんて言えばいいのかな。お互いの価値観がどうかしちゃうっていうか。お母さんはしっかりした枠の中で生きてきたから、その枠が壊れちゃうのが怖いんだと思う」

アイデンティティ・クライシスだね、とわたしは言った。

「去年、一般教養の心理学で習った。自分の足下が崩れ落ちるっていうか。そういうとき、理屈はいっさい受け入れられなくなって、とにかく拒否感が先に来るんだって」

「ああ、うん、そんな感じだった」

絵里は大きく息を吐いた。

「でも、みっともないよね」

「お母さん？」

「お母さんもだけど、お父さんも。要するに、お父さんもお母さんも自分の気持ちをちゃんと言葉にできてないんだよ。お父さんは夢なんだって繰り返すばかりだし、お母さんは理解できないって叫ぶばかりだし。長く一緒に暮らしてれば、人間わかりあえるものじゃないんだなって思った。逆に言葉をなくしちゃうんだなって。ちゃんと話し合えば、お互いの気持ちくらいはわかるはずなのに」

確かにこれは浮気なんかよりも厄介だった。生き方そのものの問題だ。どちらかが、考え方を変えるしかない。話し合えば距離は詰まるのだろうけれど、絵里の言うように、決して簡単なことではなかった。

決まった価値観の中で、お父さんとお母さんはずっと生きてきた。その中でなら、同じ言葉で気持ちは通じた。たくさん話す必要もなかった。

だけど、いざ外に出ようとすると、違う言葉が必要になってくる。

お父さんもお母さんも、そんな言葉は持っていない。だからこそ、困ったお父さんは家出してきたのだろう。

まさしくアイデンティティ・クライシスだ。

「お父さんとお母さん、どうなっちゃうのかな」

さっきまでの分析口調はどこかに行ってしまい、絵里は心細そうな感じで言った。

「さあ、どうなっちゃうんだろうね」

「別れるのは嫌だな。お父さんとお母さんには一緒にいて欲しい。お父さんのわがままはいきなりだし、いい年してとも思うけど、やりたいならやらせてあげたいし。だけど、お父さん、お母さんのプレッシャーに耐えられなくなって、こっちに逃げてきちゃったんだよね。情けなさすぎるよ、そういうのって。本当にどうするつもりなんだろう」

それにしても今日の絵里はよく喋《しゃべ》る。佐賀の家にお母さんと一緒に残され、一緒に黙りこくって、いろんな言葉をいっぱいに溜《た》め込んでいたのだろう。もしかすると、絵里は絵里なりに、なにかの結論に達してしまっているのかもしれない。そこへ至る道筋を、こうして確認してるだけなのかも。

少し月が動いたのか、磨りガラスの輝き方が変わっていた。

「この前ね、巧君が言ってた。お父さんたちが別れることになっても、全部駄目になるわけじゃないって。わたしたちにとってお父さんはやっぱりお父さんだし、お母さんはお母さんでしょう。それに、絵里とわたしは姉妹だし。だから、最悪なことになっても、ちゃんと残るものはあるんだって」

「巧さんらしいね、そういうの。前向きだよね」

「うん、本当に」

「お姉ちゃん、巧さんのそういうところ、けっこう好きでしょう」

からかうような調子だった。

本当のことだったので、照れずに肯《うなず》いておいた。

「けっこうね」

「もう、のろけられてるし。いいな、彼氏がいて。巧さん、二枚目ってわけじゃないけど、わりとかっこいいし優しいものね。本当にいいな」

絵里が脇腹《わきばら》をつついてきたので、つつき返しておいた。それを理由にして、わたしたちはくすくす笑った。姉妹というのは、いいものだ。洋服や、リップや、ファンデーションや、ネイルカラーや……そういうものを一緒に使える。それ以外のものも、たとえば恋心なんかも、こうして分け合うことができる。

「玄関、意外と落ち着くね」

「そうでしょう」

「だから、ここで寝てるの？」

「まあ、うん」

「いつまで？」

「さあ。いつまでかな。部屋で眠れるようになるまで」

薄闇《うすやみ》の中、絵里がじっとわたしを見てきた。別に哀れんでいるふうでもなく、かといってバカにしているふうでもなく、なんでもない表情だった。

「お姉ちゃんも辛いね」

「ちょっとね」

「加地さんのこと、忘れた？」

「ううん。無理。それは一生かかっても無理なんじゃないかな。だけど、もう忘れないでいいかなって思ってる」

「え、どういうこと？」

「加地君のこと、いつまでも引きずるのは駄目だって思ってたの。でも、無理なんだ。無理だって、わかった。いいことも悪いことも、ずっと残ってるんだよね。だったら、それでいいのかなって気がしてきたの」

しばらく目が合ったままだったけれど、絵里の方が先に視線をはずした。

「加地さん、本当に死んじゃったんだね。もういないんだね」

「うん」

「すごく不思議な気がする」

「うん」

「お姉ちゃん、加地さんのこと大好きだったものね。わたし、羨《うらや》ましかったよ。加地さんに会う前、お姉ちゃん、すごく念入りに顔の手入れとかしてたよね。あのころ、わたし、男にうつつを抜かすような女はバカだと思ってたから、お姉ちゃんのこともバカだと思ってた。だけど、本当は羨ましかったんだ」

確かにあのころの絵里はなにもかも拒否しているようなところがあった。髪は常にひっつめていたし、銀縁の厚い眼鏡をかけていたし、制服のスカート丈は他の子より十センチ以上長かった。異性に対してだけではなく、同性である女子にも、また女という性に対しても、絵里は頑《かたく》なな姿勢を崩さなかった。地味な性格には似合わない派手な外見を持ってしまったからこそ、絵里はそんな自分自身を拒否しなければならなかったのかもしれない。

「本当に羨ましかったんだ。でも羨ましがってるのを認めたくなかったから、そういう自分を罰するために、もっともっとみっともなくひっつめ髪にしてた。今になってみると、なにをあんなに必死になってたのかわからないけど」

「ヨシ君とはもう完全に終わり？」

「うん」

「じゃあ、新しい彼氏でも見つけよう」

「そうする」

「思いっきりかっこいい人がいいね」

「あと、やっぱり優しいのは絶対。優しくないと駄目」

「顔は？」

「ううん、顔はあんまりこだわらないかな。それより、手だな」

「手？」

「わたし、きれいな手をしてる人がいい」

「あ、わかるかも。手って大事だよね」

「うん、手は大事だよ」

新しい恋について、わたしたちは真剣に語り合った。勝手な理想や趣味を主張し合った。もっとも、そう簡単にはいかないだろう。何事にも不器用な妹は、きっと今回の失恋を半年は引きずるに違いない。まあ、あっさりと忘れられる恋なんて、それはそれで悲しいけれど。

「お姉ちゃんとこういうこと話すの久しぶりだね」

子供みたいな声で、絵里が言った。

ふふ、と笑った。

わたしも同じように、ふふ、と笑った。

「そうだね。久しぶりだね」

「玄関効果だ。いいね、玄関」

「お勧めするよ。辛いときは玄関。これに限るね。お父さんが言ってた。玄関というのは、人が入ってくるところだって。そして人が出ていくところだって。それね、わたし、ずっと考えてたんだ。つまり玄関は人がとどまるところじゃないんだよね。ここに来た人は、出ていくか、入ってくるか、そのどちらかなんだよ」

　最初は適当に思いつきを口にしていたのだが、途中から自分がとんでもないことを言っていることに気付いた。しかし弾みのついた唇は動きをとめなかった。まるでなにかに憑《つ》かれたように、わたしは喋り続けた。声が震えていた。体も震えていた。絵里が慌《あわ》てた顔でわたしを見てきたけれど、その視線を受け止めることもできなかった。

「人はいつまでも同じ場所にはいられないんだよ。出ていくなり、入っていくなり、しなきゃいけない。それを見極めるのに、玄関はうってつけの場所なんだと思う。出ていくのか、入っていくのか。ここに来たとき、わかる。つまり――」

「お姉ちゃん！」

　体を揺さぶられ、いきなり言葉が途切れた。今まですらすら話していたのに、ひとたび言葉が切れてしまうと、自分がなにを言おうとしていたのかわからなくなってしまった。わたしは縁日で迷子になった子供のように、辺りを見まわした。すがれるなにかを探した。絵里しかいなかった。

「ごめん……ちょっと……ごめん……」

言いながら、わたしは布団《ふとん》にずるずる潜り込んだ。そして布団に顔を押しつけて、目から勝手に溢《あふ》れ出てくる涙を染《し》み込ませた。おかしい。どうしたのだろう。加地君が死んでしまったあと、わたしはしょっちゅう泣いていた。だけど、半年くらいたったころから、泣くことはなくなった。どんなに悲しくても、辛くても、涙はまったく出てこなかった。泣けたら楽なのにと、何度も思ったほどだ。それが、この数日で、わたしは二回も泣いている。いったい、わたしはどうしてしまったのだろう。ちょうどお父さんが家に戻ってきてからだ。あのころから、なにかが変わってしまった。

絵里がわたしの背中を何度も何度も撫《な》でてくれた。その手のひらの感触は、お母さんそっくりだった。

背中を撫でられているうちに、睡魔がやってきた。

このまま眠ってしまおう。

妹の優しさに甘えよう。

ありがとう。

心の中でだけ言って、わたしは目を閉じた。

ありがとう、絵里。

第六章　復讐《ふくしゅう》ノックダウン

奈緒子《なおこ》が変わろうとしていた。

どういうことなのか僕にはわからなかったし、確かめるすべもなかった。けれど月夜の散歩のころから、奈緒子の雰囲気が変わっていった。なんだか背筋が伸びたような感じだ。実際に背筋が伸びたわけではないけれど、とにかくそんなふうに思えるのだった。

僕は奈緒子がまぶしくてたまらなかった。

人というのは、変わらないように思えて、ちょっとずつ変わっていく。ただ生きていくというそのことが、無為に過ぎていくかのような一日一日が、けれど確かになにかを変えていくのだ。奈緒子の変化をどう捉《とら》えるべきなのか、僕はよくわからないでいた。それがいいことなのか悪いことなのかさえもわからなかった。ただひたすら彼女をまぶしく感じ、そしてほんの少しの気後れを覚えた。

もしかすると、奈緒子は一歩踏み出したのかもしれない。

僕が踏み出せないでいる一歩を。

なにがあったのか教えてくれたのは春日《かすが》貴子《たかこ》だった。ごめん、と春日は言った。携帯電話から聞こえてくる声はノイズが多くて聞き取りにくかったけれど、それでも彼女が落ち込んでいるのがはっきりわかった。

「わたしが奈緒子を無神経に誘ったりなんかしたから」

「どうしたんだよ?」

「この前、伊沢君たちと集まって、飲み会をしたの。そのとき、途中で奈緒子が帰っちゃったのね。具合が悪くなったって言って。様子がおかしかったのは確かなんだけど、気になったから、別の席で飲んでた子たちに聞いてみたの。そうしたら、ちょうど加地君のことを話してたみたいで。奈緒子はたぶん、みんなの話を聞いちゃったんだと思う」

加地という響きに、胃がぎゅっと縮んだ。その場で起きたことが容易に想像できたからだ。

「誰がそこにいたんだ?」

「川嶋《かわしま》、怒ってるの？」

僕はしばらく黙り込んだ。

「その席、誰がいたんだよ？」

「聞いてどうするつもり？」

「どうするって……」

「まさか、川嶋」

「別になにもしないさ」

早口で言ったあと、同じ言葉を、今度はゆっくり繰り返した。

「本当になにもしないって」

できるわけがない。連中の下らない噂話《うわさばなし》で奈緒子がずたずたになったのだとしても、それはどうしようもないことだった。人に噂話をするなという方が無理だ。たまたま奈緒子が聞いてしまった不運を呪《のろ》うしかなかった。もちろん、そんな理屈をそっくり呑《の》み込めるほど、僕は大人ではなかった。誰がいたのか春日から聞いていると、その名前のひとつひとつにドス黒いものを覚えた。

「ごめんね、川嶋」

話してるうちに、春日の声は泣きそうになっていた。けれど慰める余裕も、軽口を叩《たた》くゆとりも、僕にはなかった。

「おまえが謝ることじゃないだろう」

そんな言葉がせいぜいだった。

「教えてくれて、ありがとうな」

まだなにか言いたそうな春日との電話を切ってから、僕はベッドの上にあぐらをかいた。眠っていたところを、電話で叩《たた》き起こされたのだ。携帯電話の画面に目を落とす。午前十時三十七分。もう起きなければいけない。ぼんやりしているうちに、アラーム設定してあった携帯電話が大きな音で鳴り始めた。主よ、人の望みの喜びを。バッハらしい小煩《こうるさ》い曲だ。僕は携帯電話を黙らせると、ふたたびベッドに横たわった。

あの日……あの月の夜……だから奈緒子は泣いたのだろうか……。

おそらく直接の原因ではないと思う。会ってしばらく、奈緒子は元気そうだったし。むしろほっとしたような感じで、僕に寄り添ってきた。彼女の笑顔やはしゃいだ声が嬉《うれ》しくて、僕はいつになっても帰ろうと言い出せず、どこまでも歩き続けた。

なのに、溝を目にした途端、奈緒子は泣き出した。そして封印されていたように今まで口にされなかった加地の名を何度も呼んだ。加地君加地君と叫び続けた。まるで悲鳴のような声だった。僕は奈緒子が壊れてしまうのではないかと思った。それほど彼女の泣き方は激しかった。けれど、なぜか奈緒子は立ち直った。突然泣くのをやめ、大きな歩幅で歩き出したのだ。行こう、と奈緒子は強い口調で言った。行こうよ、巧君。

僕は絵葉書のことを口走りそうになった。なぜかわからない。僕も感情が高ぶっていたのか、あのときの奈緒子なら受け止められると感じたのか。でも結局、僕は言えなかった。僕自身の準備ができていなかった。

僕は奈緒子を守りたかった。この世に存在する辛《つら》いことや苦しいことをすべて遠ざけ、彼女をずっと穏やかな場所に置いておきたかった。そのためならば、僕はどんな犠牲だって厭《いと》わない。けれど僕は二十歳のガキでしかなく、そんなことはとうてい無理だった。僕は自らの無力を味わい、諦《あきら》めのような感情に沈んだ。そしてもちろん苛《いら》立《だ》ちに塗《まみ》れた。

だからこそ、僕は翌日、誘われた草サッカーに行くことにしたのだ。

嗜虐《しぎやく》的なのか自虐的なのかわからなかったけれど、ひどく残酷な気持ちを胸に抱えながら、僕は誘いの電話に行くと答え、準備を始めた。高校時代から使っているバッグに、黄色いTシャツと黒のハーフパンツとスパイクを詰め込む。草サッカーなので、ちゃんとしたユニフォームを準備する必要はなかった。僕たちのチームは黄色のTシヤツを、相手チームは青色のTシャツを着ればいいだけだ。バスに乗り、大きな公園の中にある市営グラウンドに行くと、僕を誘ったサッカー部の後輩が駆け寄ってきて、助かりましたと嬉しそうに言った。

「急にメンツが足りなくなっちゃったから、焦《あせ》ってたんですよ」

もう時刻は六時を過ぎており、市営グラウンドの照明がまばゆく輝いている。ナイトゲームなんて久しぶりだ。背の高い照明はまるで巨大な誘蛾灯《ゆうがとう》のようだった。

「どうせ暇だったからさ」

「だけど珍しいですね、川嶋さんが来てくれるなんて」

「まあな」

後輩と喋《しゃべ》りながら、僕はグラウンドを見まわした。こいつのチームには藤木がいるはずだ。すぐにその姿を見つけた。グラウンドの端っこでリフティングをしている。右足のアウトサイドで二回、インサイドで二回、肩、腿《もも》、それからまたインサイド、アウトサイド。なかなか見事な足捌《あしさば》きだ。高校のころ、あいつはチームで一番のテクニシャンだった。背負っていたナンバーは10番。つまり中盤のエースだ。一年のときからレギュラーだった。

勝とうぜ、と後輩に告げ、僕は藤木の方へ歩いていった。

「あ、川嶋」

僕の姿を見ると、藤木は動揺した様子を見せた。

よう、と僕は笑った。笑いたくないのに、思いっきり笑っていた。

「この前、飲み会があったんだって？」

「ああ、うん」

「俺も呼んでくれればよかったのに」

「そ、そうだな」

「奈緒子、行ったんだろう？　途中で帰っちゃったらしいけど、大丈夫だったのかな？」

藤木はしどろもどろになって言葉を濁した。こいつは、飲み会の席で加地のことをおもしろおかしく語ったうちのひとりだった。だからこそ、僕はここに来たのだ。後輩の頼みを聞いたわけでも、サッカーをしに来たわけでもない。

「今日はよろしくな」

僕は笑ったまま言った。

「サイドやるから、パスをまわしてくれよ」

相手は隣町に工場がある大手家電メーカーのオジサンたちが作ったチームで、たいしたレベルではなかった。技術は僕たちの方が上だったし、走力は圧倒的だった。前半で三対一。後半早々に四対一になったところで僕たちはペースを落とし、相手に楽しんでもらうことにした。草サッカーだからそういう配慮も必要なのだ。結局、試合は五対三で終わった。まあまあ楽しいゲームだった。藤木がたくさんパスをまわしてくれたので、そのたびに僕は突破を試みた。現役時代とは大違いだ。高校のころ、あいつは僕がフリーでもたまにしかパスをくれなかった。

奈緒子のことで気を遣っているのは明白で、藤木からのパスを受けるたびに、僕の冷たい怒りはどんどん冷たくなっていくばかりだった。

試合が終わったあと、トイレに向かった藤木の背中を、僕は急いで追った。他の連中は勝ちゲームに上機嫌で、楽しそうな声を夜空に放っている。僕だけがドス黒い気持ちを抱いているのだった。

用を足している藤木のすぐ隣に、僕は並んだ。いちおう、僕も用を足している振りをする。

「おもしろい試合だったな」

「ああ、楽勝」

「おまえが俺にあれだけパスをまわすのなんて珍しいな」

「まあ、草サッカーだし」

「現役のころも、あれだけまわして欲しかったよ。サイドなんて走ってなんぼだけどさ。走ってもパスが来ないと、やっぱりがっくり来るからな」

「いや、おまえ、下手だから」

ナイス、と僕は思った。藤木は冗談のつもりで言ったのだろうけれど、僕にとっては格好の口実だった。胸のむかつきをどうにかできるなら、なにか派手なことが起こせるなら、きっかけなんてこの程度でかまわない。

「下手ってなんだよ」

僕は声を上げた。思った以上に大きな声が出ていた。

いきなり怒り出した僕に、藤木はびっくりしたようだった。

「どうしたんだよ、川嶋」

「下手ってなんだよ、下手って」

「おまえ、怒ってるのか」

このときはまだ、藤木は戸惑っているだけだった。チャックを上げると、手洗い場に向かいながら、僕をちらちら見ている。僕はすぐさま奴《やつ》のあとを追い、肩を軽く突き飛ばした。藤木はバランスを崩し、洗面台に腰を打ちつけた。

「なにすんだよ、おい」

さすがに藤木も怒り出した。

よし、いいぞ……もっともっと怒れよ……。

心の中で、僕は残酷に笑った。

「下手ってなんだよ、藤木。もう一度言ってみろよ」

藤木のTシャツの胸元を摑《つか》み、捻り上げる。薄っぺらいTシャツはみっともないくらい伸びて、奴の胸や腹が丸見えになった。僕の腕を引き剝《は》がそうとしつつ、藤木は食いしばった歯の隙間《すきま》から声を漏らした。

「なに怒ってるんだよ、川嶋」

うるせえ、と僕は言った。

「人のことを下手くそ扱いしやがって、よくそんなこと言えるな」

このネタで僕は押し通すつもりだった。下らない喧嘩《けんか》。ちょっとしたことがきっかけの口論。それ以上のことにするつもりはなかった。けれど単純な僕の思考は、あっさりと藤木に見透かされた。

「おまえ、本山のことで怒ってるのか。あれ、加地の使い古しだろ」

洗面台に押しつけられながらも、藤木は皮肉っぽくそう言ってきたのだ。どうやら藤木の導火線にも火がついたらしい。

言葉が出てこなかった。違う、と叫ぶべきだ。でも口は動かない。

そんな僕を見て、藤木は笑った。

「もしかして前から本山を狙《ねら》ってたのか。だったら加地が死んでよかったな」

実にわかりやすい挑発だ。下らねえ。そう思いつつも、しっかり頭に血が上っている自分がいた。僕はまず、藤木に殴らせるつもりだった。一発か二発最初に貰《もら》っておけば、こちらも気兼ねなく暴れられる。けれど藤木の言葉を聞いた途端、計算が吹っ飛んだ。気がつくと、藤木は鏡に頭を打ちつけ、そのまま床に崩れ落ちていた。挑発合戦に負け、僕が最初に手を出してしまったのだ。藤木はすぐに飛びかかってきた。薄汚いトイレの床に倒れ込んだ僕たちは、互いの服や髪を摑んで取っ組み合った。藤木の顎《あご》に肘《ひじ》を当て、力一杯押す。痛みに藤木が顔をしかめた。妙な呻《うめ》き声を上げてやがる。藤木は無我夢中って感じで手を伸ばしてくると、僕の顔を摑んだ。指先が目に入りそうになったせいでまぶたを閉じた直後、頭がキンとした。殴られたのだ。僕も殴り返したけれど、顔じゃなくて肩に当たった。手首に反動が来て怯《ひる》んだら、また殴られた。顎の下っていうか、首に当たった。すぐに殴り返す。僕の拳《こぶし》は、今度はもろに藤木の顔を捉《とら》えた。奴の顔が変な感じで歪《ゆが》む。また殴る。痛い。拳が痛い。心が痛い。藤木が慌《あわ》ててしがみついてきたせいでバランスが崩れ、体の位置が入れ替わった。なにがどうなったのかわからぬまま床に叩きつけられた。背中を打って息が詰まる。二発くらい連続で殴られた。僕も二度くらい殴ってやった。僕たちはトイレの床を転がりながら、みっともなく殴り合った。ボクシングを習ってたことなんて、喧嘩ではなんの役にも立たない。ボクシングというのは、あくまでも立った状態で行う競技だ。摑み合っての殴り合いでは、ボクシングの技術はまったく生きない。やがて騒ぎに気付いた連中が駆け寄ってきた。そのほとんどは藤木の友達で、血の気の多い奴がいきなり僕の腹を蹴飛《けと》ばした。痛みではなく、衝撃で胸が詰まった。

くそ、息ができない……。

苦しんでいるあいだに、さらに数発のパンチや蹴りを叩き込まれた。靴の底で顔を踏みつけてきた奴もいた。薄汚い靴底と薄汚い床のあいだに、僕の顔は挟まれた。白い便器が顔のすぐそばにあり、饐《す》えた臭《にお》いが漂ってきた。

ようやく引き離されたとき、僕はトイレの床にみっともなく横たわっていた。藤木の方は友達に抱き起こされ、すぐに立ち上がった。十人くらいの男たちが、僕を冷たい目で見下ろしていた。薄汚いトイレの床に倒れ込んでいる僕を。

それはひどく惨《みじ》めな光景だった。

連中の白い目にさらされながら、僕は市営グラウンドをあとにした。トイレの床を転げまわったせいで、体中から饐えた臭いがした。僕は今、ものすごく臭い。Ｔシャツも、ハーフパンツも、ぷんぷん臭っている。けれど今さら更衣室に行くわけにもいかず、木陰でこっそりシャツとジーンズに着替えた。誰かに見られたら、変質者扱いされかねない。幸い誰にも見つからずに着替えられたけれど、髪や体についた臭いはもちろん取れなかった。しかたなく、公園の水道で手足を洗う。溢《あふ》れてくる水はひどく冷たかったけれど、髪も洗った。ざぶざぶ洗った。だいぶすっきりした。まだちょっと臭うけれど、これくらいなら大丈夫だろう。

人気のない暗い公園を、僕はひとりきりで歩いた。空には月もなく、どんよりと重い雲が頭上を覆《おお》っている。吹き抜けていく風は、僕の体ではなく、僕の心を揺らしていった。

藤木には二、三発ぶち込むことができた。もろに入ったのもあったはずだ。だけど、そのことに僕はむしろ罪悪感を覚えた。藤木を殴ったからといって、どうなるものでもないのだ。あいつはよくある噂話《うわさばなし》をしただけだった。もしあいつを殴ることが正しいのだとしたら、僕は飲み会の席にいた奴らを全員同じように殴らなければならない。

僕がやったことは、要するに八つ当たりでしかなかった。たまたま藤木がそこにいただけだ。でもまあ、僕は藤木の倍くらい殴られたり蹴られたりしたのだから、それでおあいこ……という言い方は変だけど、とにかく、そういうことでいいだろう。

勝手な理屈を頭の中でこねくりまわしながら、僕は歩き続けた。しばらくして体が冷えてくると、あちこちが痛み始めた。顔も腹も腕も脚も、とにかく体中が痛い。シャツをめくってみたところ、脇腹《わきばら》に大きな痣《あざ》が浮き上がりつつあった。スパイクのポイントがきっちり痕《あと》になっている。右腕にはふたつ、左腕にはひとつ、痣があった。脚にはもっとたくさんあるはずだ。ひどいものだと笑うと、唇の端にぴりりとした痛みが走った。どうやら少し切れているらしい。よほどひどい顔をしているのか、それとも臭いがまだ取れていないのか、すれ違う人たちが僕をじろじろ見ていった。

「藤木、おまえさ、間違ってるぞ」

空に向かって指摘しておく。もちろん聞こえないだろうけれど。

「前から奈緒子を狙ってたんじゃない。加地が死んだから、狙うことにしたんだ」

もし加地が死ななかったら、僕はふたりを、ただずっと眺めていただろう。そしてとても幸せな気持ちでいられただろう。僕にとって、加地は、そして加地に愛された奈緒子は、本当に特別な存在だったのだ。

もし神様が僕の願いを聞いてくれるのだとしたら、僕はあの事故をなかったことにしてもらう。加地は事故に遭わず帰ってきて、奈緒子はそんな加地を迎え、ふたりはそれまでと同じように肩を並べて歩くんだ。そして僕は、少し離れたところで、彼らの幸せそうな姿を眺める。そこが僕にとって最高のポジションだった。

いつまでもいつまでも、僕はそうしてふたりを見ていたかった。

それはまるで、星を眺める行為と似ている。僕自身はみっともなく地面に張りついて、嫉妬《しっと》やら欲望やらに塗《まみ》れながら生きているけれど、星は僕のことなんてお構いなしという感じで、ただきらきらと輝いているのだ。加地は……いや、加地と奈緒子は、僕にとってそういう存在だった。いつまでも、きらきらと輝いていて欲しかった。

けれど加地は死んでしまった。

どこにもいない。

僕たちの記憶の中でだけ生きている。

加地がいなくなってしまった今、奈緒子を幸せにできるのは僕だけだった。最高のポジションで、ただ眺めているわけにはいかないのだ。そういう幸せなときは、終わってしまった。新しい幸せを、はるかにみっともなくて惨めな幸せを、今度は自分自身で作り出すしかない。だから僕は、奈緒子を僕のものにする。加地のものではなく、僕だけのものにする。もちろん加地の思い出を消すことはできないけれど、それさえも取り込んでしまえばいい。僕と奈緒子の共有財産みたいなものだ。モノ扱いしたら、加地は怒るかな。まあ、いいさ。勝手に怒っておけよ、加地。とにかく僕はそうするしかないんだ。僕は奈緒子のことが本当に好きだし、大切だし、だから彼女を幸せにしたいんだよ。おまえといたときよりもさ、幸せにしたいんだ。おまえは空のどこかで見ていろ。僕の健闘を祈ってくれ。

僕の左手は、今も加地の右手を摑んでいる。

加地の左手は、奈緒子の右手を摑んでいる。

そうして僕と奈緒子は繫《つな》がってきた。加地という男をあいだに置いたまま、生きてきた。けれど、そんな関係は終わりにしなければならない。奈緒子はもう、終わらせようとしている。僕だって、今と同じというわけにはいかないだろう。加地と手を離すって意味じゃない。それは無理だ。僕たちはあいつを大切にしすぎてきた。加地と繫いだ手はそのままだ。けれど、僕と奈緒子にはそれぞれ、空っぽの手がまだひとつずつある。

その手を直接繫げばいい。

僕の右手で、奈緒子の左手を、ぎゅっと握りしめよう。

バスには乗らず、歩いていくことにした。四、五キロあるものの、まあ一時間かそこらで着くだろう。市内で三番目に地価が高いらしいきれいな住宅地を、足下がぐずぐずの農道を、大型車が地面を揺らしながら走っていく産業道路を、古びた市営住宅の敷地を、僕はひたすら歩き続けた。途中で右膝《ひざ》が痛くなってきたのでかばって歩いていたら、今度は右足首が痛くなってきた。ガタガタ震えるほど寒いのに、殴られまくったせいで体の表面だけは焼けるように熱い。途中でコンビニに寄って、温かいお茶を買った。店員は僕の顔をさりげなく見たあと、おつりを直接渡さず、レジカウンターにレシートと一緒に置いた。僕はにっこり笑ってみたけれど、店員は笑みを返してくれなかった。スマイルはゼロ円のはずなのに。ああ、違う。それはマクドナルドの方か。

店の外で一口だけお茶を飲むと、渇いて張りついていた口の中が潤《うる》んだ。気が抜けてしまったのか、いきなり足が重くなる。まだ半分も歩いてないのに、ここで休むわけにはいかない。それに、立ち止まってしまったら、もう二度と歩き出せないだろう。サッカーでも、そうなのだ。試合中に走るのをさぼってしまうと、それっきり駆け上がれなくなる。たとえパスが来なくても、無駄走りになることがわかっていても、サイドの選手は走り続けなければならない。

ペットボトルに蓋《ふた》をすると、それをカイロ代わりに抱え込んで、僕はふたたび歩き出した。真正面からやってきたトラックのライトが、まばゆく僕を照らしてくる。世界が光で埋め尽くされる。トラックが過ぎ去ってしまうと、前よりも深い闇《やみ》が訪れた。その闇の中を、僕は歩き続けた。

いつの間にか雲はすべて流れ去り、冬の星空が見えるようになった。明るい星がいくつも輝いていた。

家に帰り着くのに、二時間近くかかった。足が痛くて、のろのろ歩いていたせいだ。体はすっかり冷えきってしまい、殴られたところや関節がひどく痛んだ。家に上がった僕は、すぐさま風呂《ふろ》に直行した。熱いシャワーを浴びると、ようやく気持ちが戻ってきた。惨めさはそのままだけれど、しかし妙にすっきりしてもいた。泣いたあとに、すっきりするのと同じだった。拳と涙は、たまに同じ役割を果たすのだ。

風呂の鏡を覗《のぞ》き込んでみたところ、ありがたいことに、顔にはたいして傷がついていなかった。唇の端が少し切れているだけだ。これなら誰にも気付かれないだろう。体の痣なんて、放っておけばそのうち治る。

着替えてからリビングに行くと、姉貴がまだ起きていた。

「姉ちゃん、起きてたの？」

「うん。映画観《み》てた。あんたこそどうしたの？」

「サッカーしに行ってたんだ。メンツが足りないからって呼ばれてさ」

ふうん、と姉貴は言った。

「試合、勝った？」

「ボロ負け」

「スコアは？」

「どうだっけな。たぶん十対三くらいかな」

ひどいねと姉貴が言って、僕もひどいねと肯《うなず》いた。

姉貴はリモコンを持ったまま、膝を抱えて床に座り、テレビの画面を凝視していた。映像の暗さで、ハリウッド映画ではないことがわかった。ヨーロッパの方の映画だろう。真剣に画面を観る姉貴の顔は、いつもより幼く感じられた。

キッチンに行き、少し迷った末、ウーロン茶を選ぶ。

「どんな映画？」

グラスに注いだウーロン茶を持って、僕はリビングに戻った。

「父を訪ねて三千里かな」

「父？　母じゃないの？」

「だから、その父親バージョン。小さい姉弟がさ、お父さんを捜していろんな国を巡る話。親切な人に助けてもらったりもするけど、ひどいことも起きる。ううん。圧倒的にひどいことばっかりかな」

「救いがないね」

「でも、いい映画だよ」

姉貴が真剣に画面を観ているので、僕は話しかけるのをやめた。筋はよくわからなかったけれど、確かに救いのない映画のようだった。姉弟は下らない規則やら事情やら、身勝手な大人やらに振りまわされていた。肝心の父親はいっこうに見つからない。やがて、いきなりエンドロールが流れ出した。僕はなにかの間違いじゃないかと思い、びっくりした。

「え？　終わりなの？」

うん、と姉貴は肯いた。

「終わり」

「だって、父親見つかってないよ」

「ハリウッド映画の観すぎだよ、巧。人生ってそういうものでしょう。父親が見つかりました。みんな幸せでした。めでたしめでたし。——なんて、うまいことといくわけないじゃない」

「人生はそうかもしれないけど、これは映画だろう」

「人生を描くのが映画ってものでしょう」

どうやら、すごく根本的な認識の違いが存在するようだった。確かに僕はバカみたいなハリウッド映画の観すぎなのかもしれない。そういえば、誰かが教えてくれたっけ。本当はバッドエンドの話を、ハリウッドの重役がそれじゃ大衆が喜ばないから駄目だと言い出して、むりやりハッピーエンドに作り直させたって。タイシュー、か。

僕もまあ、そのひとりというわけだ。

「それ、なんて映画？」

ギリシャの映画でね、と姉貴は言った。タイトルは『霧の中の風景』っていうの。

「今度ビデオ屋で借りて、最初から観てみるよ」

「無理だと思うな。この監督の映画を置いてるビデオ屋なんてほとんどないもの。恵《え》比《び》寿《す》のTSUTAYAにならあるかもしれないけど」

「……そんな遠くまで行けないよ」

「じゃあ、もうちょっと待ってれば。これ、衛星だから。二週間くらい待ってれば、また放送するよ」

「それを早く言ってくれよ」

僕が衛星放送の番組表をチェックしているあいだ、姉貴はぼんやりと空間のどこかを見つめていた。きっと終わったばかりの映画のことを考えているのだろう。姉貴は僕と同じでガサツな人間だけれど、僕よりはいろんなことを考える。

「巧、あんたさ、奈緒ちゃんとうまくいってる？」

「なんだよ、急に」

「いや、前から気にはなってたんだけど。どうなの？」

「うまくいってるよ」

「加地君のことはどうしてるの？　話したりしてる？」

姉貴がここまで踏み込んできたのは初めてだった。夜の空気のせいだろうか、映画のせいだろうか。僕は番組表をチェックする振りをしながら、姉貴の様子を窺《うかが》ってみた。当たり前かもしれないけれど、責める顔ではなかった。

「この前、ちょっとだけ話した。でも、それまでは一度も」

「話してない？」

「うん、今まではね」

少し悩んだ末、僕は状況を打ち明けることにした。同級生の下らない噂話《うわさばなし》を奈緒子が聞いてしまったこと。同じ夜、奈緒子が加地の思い出をいきなり話し出したこと。子供みたいに泣いたこと。だけどそのあと、決然と歩き出したこと。そして少しずつ背筋を伸ばすようになったこと。姉貴はいつものような毒舌を控え、ただ静かに肯きながら、僕の話を聞いてくれた。

「奈緒ちゃんは忘れてないんだね」

「忘れられるわけないよ」

ためらってから、付け足した。

「俺だって加地のことは忘れられないし」

「じゃあ、どうするの？」

「どうするって？」

「今のままでいいのかってことよ。わたしも女だから、わかるわけ。奈緒ちゃんはずっと加地君を忘れないだろうし、死んじゃったからこそ、どんどんその思い出はきれいになっていくんだよ。わかるよね、それがどういうことか。あんただって、しょっちゅう加地君のこと思い出してるんでしょう」

その通りだった。しょっちゅうどころではない。僕は毎日、加地のことを思い出している。

「二、三回しか会ったことないけど、加地君はおもしろい男の子だったよね。巡り巡って同じ場所に戻ってくるタイプなのに、戻ってきたときにはちゃんとなにかを持ってくるっていうかさ。どんどん違う場所に進んじゃうあんたとは対照的だった。だからこそ、あんたが加地君を大切にしてたのはよくわかるよ。あんたにはどうしたって、加地君に勝てない部分があるから」

「うん、あいつはすごい奴《やつ》だったよ」

「わたしから見ると、よくいる普通のナイーブな男の子でもあるんだけどね。ただ、あんたや奈緒ちゃんにとっては、すごい子なんだろうね。で、どうするの。奈緒ちゃんと微妙な関係を続けていくつもりなの」

　僕は肯いた。

「奈緒子のことはちゃんと好きだよ」

「それはわかってるけど」

「だったら、いいだろう。あいつの心の中に加地がいるのは知ってるよ。追い払えないことも知ってる。俺だって同じだから、わかるんだ。奈緒子もそういう俺のことをわかってると思う。だけど、それって駄目なことなのかな。姉ちゃん、俺はバカだけどさ、なんにも考えないわけじゃないんだ。ずいぶん考えたんだ。この前、奈緒子が泣いてからは、もっともっと考えた。うまく整理できてないし、まだ理屈でしかわかってないんだけど、俺たちはこのままでいいのかもしれないって思ってる」

「このまま？　引きずりっぱなしってこと？」

「そう、どこまでも引きずっていく。今だって俺たちは……俺と奈緒子はそれなりに幸せなんだ。不自然だし、ぎこちないかもしれないけど、だからといってなにもかもが色褪《いろあ》せるわけじゃないんだよ。確かに幸せな瞬間はあるんだ。たぶん、俺たちは三人で生きてるんだと思う。俺と奈緒子と加地の三人で。もちろん現実に加地はいないよ。死んじゃったわけだからさ。だけど俺と奈緒子の中には今もちゃんといるし、それだけじゃなくて、俺と奈緒子のあいだにだっているんだよ。俺が加地の手を握って、加地が奈緒子の手を握って、そうして俺と奈緒子は通じ合ってきたんだ。それはもう変えられない。わかってるんだ、変えられないって。だから、加地と手を繋《つな》いだまま、あいている方の手で奈緒子と手を繋ごうと思ってる。加地の手を摑《つか》んだまま、もう片方の手で奈緒子を摑むんだ」

あんたね、と早口で言って、姉貴は言葉に詰まった。しばらくして今度こそなにか言おうとしたけれど、それも果たせず、結局逃げるようにキッチンへと引っ込んだ。

「――む？」

なにか尋ねる姉貴の声が、キッチンから聞こえてきた。

「え？　聞こえないんだけど？」

「ホットミルクいれるけど、飲む？」

「あ、飲む！」

夜中なのに声を張り上げ、僕たちは言葉を交わした。そうして注文を終えると、もう声を張り上げる必要はない。家の中がいきなり静かになった。僕は組んでいた両手をはずし、右手と左手をじっくりと見た。一方は加地の手を、一方は奈緒子の手を、しっかり握っている手だ。

やがてキッチンの方から甘い匂《にお》いが漂ってきた。当たり前だけれど、それが不思議に思えた。声だと張り上げなければいけないのに、匂いはこうして漂ってくるのだ。

「できたよ。ちゃんとミルクパンで温めたから。電子レンジなんかで温めるのとは、全然味が違うよ」

両手にカップをひとつずつ持って、姉貴が戻ってきた。

「へえ」

蘊蓄《うんちく》に耳を傾けつつ、カップに口をつける。確かにおいしいホットミルクだった。

熱が全体に行き渡ってる感じがする。それに味がすごく柔らかい。

「ちょっと甘いんだな、これ」

「蜂蜜《はちみつ》を入れてあるの。とっておきのレンゲの蜂蜜。すごい高級品だよ。一瓶で五千円くらいする奴。味が繊細なんだよね。蜂蜜に種類があるなんて、あんた、知らなかったでしょう。どれでも一緒に思えるけど、本当はひとつひとつ違うんだよ。リンゴ園の近くの養蜂場《ようほうじょう》で採れた蜂蜜は、ちゃんとリンゴの香りがするし。それも、ただ舐《な》めただけじゃわからないんだよね。こうしてミルクに入れると、突然リンゴの香りがするの」

ふんふん、と聞いておく。知ったところで、実際に僕が蜂蜜を使うわけではないのだ。僕はおいしいホットミルクを飲ませてもらうだけで十分だ。

「ねえ、巧」

「なに」

「さっき言ったことさ、本気で考えてるの」

カップ越しの姉貴の視線。

僕は肯いた。

「本気で考えてるよ、もちろん。……というか、まだ考えてるだけで、実行できる自信まではないって段階」

「うまくいきそう？」

「わからないよ」

僕は正直に言った。ホットミルクをまた一口飲む。ほんの少し置いただけなのに、ホットミルクの味はすっかり変わっていた。温度が下がったぶん、口当たりがさっきより柔らかくなっている。そしてなぜか蜂蜜の香りが強くなった。いや、これはレンゲの香りなのかな。

「うまくいくといいね」

「うん」

「じゃあ、わたし、寝るね」

先にホットミルクを飲み終わった姉貴は、そのままリビングを出ていこうとしたけれど、ドアに手をかけたところで立ち止まった。

「正直言ってさ、あんまり応援してなかったんだよね」

「俺と奈緒子のこと？」

「あんたはそもそも大ざっぱな男だからさ。こんな面倒な状況に置くのが、姉としては忍びなくてね。普通に明るい恋愛してもらいたかったんだ。奈緒ちゃんはいい子だと思うけどね」

　そこで姉貴はしばらく黙り込んだ。話しかけた方がいいような気もしたけれど、姉貴がなにか考えているのがわかったので、僕も黙っておいた。やがて姉貴がふたたび口を開いた。

「だけど考えてみたら、あんただっていつまでも同じ場所に立ってるわけにはいかないんだよね。だから、こういうのもいいのかもしれない。あんたらしくないのもさ。それに、あんた、最近ちょっとだけいい男になったよ」

　最後は茶化すように笑って、今度こそ姉貴はリビングから出ていった。本音なのだろうか、落ち込んでいる弟を励まそうとしただけなのだろうか。よくわからないまま、僕はホットミルクをゆっくり飲み続けた。

　時計を見る。

　午前二時十七分。

「よう、加地」

　丑《うし》三つ時に、僕は友に話しかけた。

　もしここに加地の魂が来ているとしたら、どんな顔をしてるのだろう。きっと笑ってるはずだ。あの寂しそうな笑みを今も浮かべて、ひょろりとした姿で立っているのだろう。だけど、心の中では怒っているかもしれない。あいつは、そういう奴なのだ。

穏やかな外見の下に、燃えさかるわけでもなく消えるわけでもない火を持っていた。そんな情熱のすべてを傾け、加地は奈緒子のことを愛していた。なにしろ六年も片思いしていたくらいだ。六年かけて手に入れた恋人を、僕に盗《と》られて悔しがってるはずだった。

だけどさ、加地、僕は謝らないぞ。

そんな卑怯《ひきよう》なことはしない。

堂々と、悪びれもせず、奪ってやるさ。

「加地、奈緒子は貰《もら》っておくよ。おまえごと、貰うことにする」

宣言して、ホットミルクを飲み干した。

最後の一口は、姉貴の言った通り、本当にレンゲの香りがした。

高二の文化祭――。

加地に頼まれたことを、僕はすぐさま実行に移した。春日貴子に事情を話すと、彼女はあっさり協力を承諾してくれた。というか、途中から春日の方が乗り気になって、どんどん話を進めていった。

「六年間の片思いか」

春日はなぜか、夢見るように言ったものだった。

「いいな、そういうのって」

「おまえが片思いされてるわけじゃないだろう」

「つまんないこと言うね、川嶋って」

僕と春日は互いに大ざっぱな性格で、特に好きとか嫌いとかいう関係になったことはないけれど、だからこそなんでも言い合えるところがあった。

「なんだよ、つまんないことって」

「六年間だよ、六年間」

「だから、おまえの話じゃないだろう」

「そういうことじゃなくて」

春日は責めるような目で僕を見てきた。

「六年間の片思いのことを言ってるの」

これ以上なにか言ったらよけいに春日を怒らせそうだったので、僕は黙っておいた。今になっても、なぜあんなに春日が嬉《うれ》しそうな顔をしていたのかよくわからない。思われてたのは奈緒子で、春日じゃないのにな。

とにかく、春日の協力によって、計画は順調に進んだ。

文化祭の最終日、春日は適当な理由をつけて、奈緒子を物理生物学教室に呼び出した。もちろん僕は様子を見に行った。覗《のぞ》きをやってるみたいで少し気が引けたけれど、やっぱりことの成り行きが気になったからだ。

物理生物学教室の中を、何気ない素振りでぶらぶら歩きながら、様子をしっかり窺《うかが》った。肝心の奈緒子は、所在なげに科学部の展示を見ていた。明らかに退屈そうな姿だった。

まさかこのまま帰ってしまうんじゃないだろうな……。

僕は焦《あせ》った。もし彼女が帰りそうになったら、話しかけようと思った。でも、なんて言えばいいのだろう。ああ、そうだ、春日に伝言されたってことにすればいい。だけど、伝言の内容はどうしようか。プラネタリウムを見ておいて、というのは駄目か。意味不明だ。ちくしょう。どうして僕はこんなに頭が悪いのだろう。

奈緒子は僕がいることにまったく気付いていなかった。まあ、当たり前だ。あのころ、僕と奈緒子はほとんどお互いのことを知らなかった。だからこそ、僕はさりげなく様子を見ていられたのだけれど。

やがて加地がドームの中から出てきた。ものすごく緊張してるのがわかった。加地はまず奈緒子を見て、それから僕の方に顔を向けた。

　僕は口だけ動かして、

「頑張れよ！」

　と声を出さずに言った。

　加地は決然とした目で肯《うなず》いてきた。

「プラネタリウムを上映しまーす！」

　そしてあいつの声が教室の中に響いた。

　緊張がびりびり伝わってきた。加地の声はかすかに震えていた。ひどく心配になったけれど、加地は大胆にも奈緒子に声をかけ、呼び寄せた。僕ははらはらしながら、成り行きを見守っていた。そうしてふたりの立ち姿を見ていると、お似合いだなと思った。持っている雰囲気がなんとなく似てるのだ。

　どうやら交渉はうまくいったらしく、奈緒子はドームに入っていった。やったな、加地。僕は拳《こぶし》を握りしめ、小さくガッツポーズをした。ディフェンダーをドリブルで抜き去ったときと同じくらい嬉しかった。

　一分ほどたってから、僕もまたドームに入った。

　中はもちろん暗かったけれど、ランタンみたいな明かりが灯《とも》っているおかげで、なんとなく様子がわかった。加地は坊主頭《ぼうずあたま》の奴《やつ》と打ち合わせみたいなことをしていて、奈緒子は端っこの席に腰かけ、辺りをきょろきょろ見まわしている。僕はふたりの姿が目に入る場所に陣取り、様子を見守ることにした。

ああ、自分が告白するより緊張するな……。

そんなことを思っているうちに、上映が始まった。ちょうどそのころ、遅れて春日がやってきた。春日は奈緒子の方ではなく、僕の隣に座った。

「どんな感じ？」

小さな声で尋ねてくる。

僕も小さな声で言った。

「今のところ順調。おまえ、本山の方に行かなくていいのか」

「わたしがそばにいない方がいいのよ」

「え？　なんで？」

「ひとりの方が、ぐっと気持ちが盛り上がるでしょう」

女というのはまったくすごい生き物だ。どうしてこういうことが直感的にわかるのだろうか。

「ああ、なるほど」

ドーム内にいる十人くらいの連中は、みんな人工の星空に見とれていた。実際、改めて見ると、なかなか立派な星空だった。けれど僕と春日だけは顔を上げないで、加地と奈緒子の様子を窺っていた。それにしても、加地はいい声をしていた。顔は女みたいに繊細なくせに、声はむしろ男っぽかった。

プログラムは順調に進み、いよいよそのときがやってきた。

いきなり加地が牡羊座《おひつじざ》の説明を始めた。春日が握った右手を小さく振った。頑張れ頑張れ、という感じだ。僕も右手を握りしめた。頑張れよ、加地。

僕たちの応援が届いたのかどうかわからないけれど、加地は落ち着いた様子で、しかし情熱のこもった声で、牡羊座のことを説明していった。あいつはずっと奈緒子を見つめていた。ほんの少しも目を逸《そ》らさなかった。奈緒子の方も、加地を見つめ続けていた。その瞬間、小さな天球は加地と奈緒子のためだけの世界になっていた。僕も、春日も、他のギャラリーも、ふたりにとってはいないも同然だった。

たったひとりに向けられた加地の声は、とても情熱的だった。僕はびっくりした。あいつにそんな熱さがあるとは思わなかったからだ。もっと冷めた奴だと思ってたのに。けれど、ふたりで文化祭の準備をした夜のことを思い出し、すぐに納得した。加地という人間の中には、誰よりも熱いものがあるのだ。

やがて加地が僕の方をちらりと見てきた。

「牡羊座流星群がどういうふうに流れるのか、みなさんにお見せします。この流れ星マシンも僕たちの手作りです。僕と……僕の友達が作りました。今回が初稼働《はつかどう》なのでうまくいくかどうかわかりませんが、うまくいくことを祈ってください」

友達、と加地は言った。

僕のことを友達と。

その直後、僕たちの頭上をいきなり星がひゅんひゅんと流れ出した。自分で作った機械なのに、僕はびっくりした。作ったあと一度動かしていたのに、それでも驚いた。とにかく、ものすごい流れ星だった。ドームのあちこちから歓声が上がり、僕はたまらなくいい気持ちになった。僕と加地で、あの機械を作ったんだぜ。僕たちの共作なんだ。わき上がる歓声は、僕たちへの賞賛だった。

僕と同じように気持ちが高揚したのか、加地は予定にない言葉まで口にしていた。

「ここでしか見えない牡羊座流星群です。昼間なので見えなくても、本当はこういうすばらしい光景があるんです。たとえ見えなくても、こんなふうに美しいって、僕はちゃんと知ってます」

見事なまでの、愛の告白だった。

加地の野郎、さすがむっつりスケベだ。僕の隣で、春日が握りしめた拳を「よし！よくやった！」というふうに振っていた。振りすぎて、僕の太ももを殴っていたくらいだ。僕だって同じように拳を振りたい気持ちだった。

その盛り上がった気分のせいだったのだろう。

気がつくと僕は、

「流れ星に願いをかけよう」

と言っていた。

それがきっかけになって、あちこちから声が上がった。

「だけど、こんなに流れてるのに、どれにかければいいんだよ」

「ずっと流れてるんだから、適当に願えば、どれかが叶《かな》えてくれるんじゃない？」

「あ、そうだよな」

「俺、三つくらい願いをかけよう」

「こんだけ流れてるんだから、全部叶うはずだものな」

「わたしは五つにしようっと」

そう言ったのは、隣にいる春日だった。

五つだって？

まったく欲張りな奴だ。

ドーム中に笑いが満ちて、そこにいる誰もがいい気分になっていた。もちろん加地も奈緒子も笑っていた。

やがて加地が言った。

「じゃあ、どうぞ。たくさん願いをかけてください。その分だけ、星を流します」

流れる星を見上げながら、僕はこんな願いをかけた。

加地の思いが叶いますように――。

流れ星は願いを叶えてくれたようだった。後夜祭のフォークダンスのとき、加地と奈緒子はずっとお互いのことを見ていた。僕もダンスの列に加わりながら、ふたりの成り行きを追っていた。それにしても、じれったい奴らだ。あんなにしっかり思いを確認したのだから、さっさとふたりきりで話せばいいのに。フォークダンスの順番がまわってくるのを呑気《のんき》に待ってやがる。しかも加地は要領の悪いことに、奈緒子から正反対の位置に立っていた。僕の方が奈緒子に近くて、加地よりも先にたどりついてしまった。音楽に合わせてお辞儀をし、僕は奈緒子の手を取った。けれど、彼女は僕のことなんか見ていなかった。その視線はずっと加地を追っていた。女の子らしい柔らかな頰のラインとか、優しそうなまぶたの感じとか、小振りな唇が、ファイアーストームの赤い炎に照らされて、すごくきれいだった。

特にきれいだったのは、その目だ。

まっすぐに加地を見つめる目は、おとなしい彼女の中に潜む熱いものを表していた。わずかな揺らぎもなかった。奈緒子は、本当に本当にきれいだった。世界中のどんな女の子よりも美しかった。もしかすると、あの瞬間から、僕は奈緒子に惹《ひ》かれていたのかもしれない。

やがて僕と奈緒子はお別れのお辞儀をし、それから少しダンスが進んだところで、いきなり曲がとまった。加地と奈緒子のあいだにはまだ三人くらい人がいて、ふたりの手は重なっていなかった。

早く次の曲がかかれ。もうちょっとなんだ。早くしてくれ。僕はじりじりした気持ちで、運営のテントの方を見た。その途端、やばいと感じた。テントの下にいる連中は、行事を終わらせせようとしていた。机の上に置いてあるマイクに向かって、実行委員の村田という奴が歩き出した。終わりの宣言をするつもりらしい。考えるよりも先に体が動き、僕は列から離れ、全速力で走り出していた。パスやトラップは下手だけれど、僕は走るのだけは速い。あっという間にトップスピードに乗り、村田がマイクを持つ前に、奴のところに駆け寄っていた。

「なんだよ、川嶋」

突然現れた僕にびっくりし、村田が尋ねてきた。村田とはそんなに親しいわけではない。お互い、顔を知っているくらいだ。けれど僕はまったく遠慮なく頼み込んだ。

「もう一曲、かけてくれよ」

「え？　なんでだよ？」

「音楽を聴きたい気持ちなんだよ」

適当なことを僕は言った。

さすがに適当すぎて、村田は首を横に振った。

「駄目駄目。もう時間なんだよ。それに、近所から苦情が来たんだとさ。音楽がうるさいって。さっさと切り上げなきゃ――」

「かけてくれよ、一曲でいいんだ」

「だけど――」

「頼むから、かけてくれ」

必死になって、僕は声を上げていた。あまりの必死っぷりに、周りの連中が、なにを言っているんだこいつは、という顔になった。冷静に考えれば引くべきなのだろう。

確かに僕はバカなことを言っている。わかっていたけれど、僕は引かなかった。

「一曲だけなんだ。一曲でいい。かけてくれ」

「でも苦情が——」

「村田、俺、土下座するぞ。地面に頭をこすりつけるぞ。いいのか、それでも」

まあ、むちゃくちゃな脅しだった。

理屈にもなってない。

さすがに村田は呆《あき》れたようだったけれど、なにをどう言っても僕が引かないことに気付いたみたいだった。それに、僕と口論するのが面倒臭くなったのだろう。村田はちぇっと舌打ちをしたあと、音響装置の前に座っている一年坊主に向き直った。

そして、こう言った。

「一曲だけ、かけてやれ。一曲だけだぞ」


すっかり春めいてきたころ、山崎先輩から電話がかかってきた。先輩と話すのは久しぶりだった。なんと、いつの間にか、先輩はプロテストを受けることになっていた。

「本気ですか?」

尋ねると、先輩は興奮気味に言った。

「本気に決まってるだろうが」

「でも、プロなんて……」

「実際のところ、俺も無理だと思うよ。まだそんな実力ないしな。だけど、会長とトレーナーが勧めてくれてさ。とりあえず、度胸試しに一回受けてみろって」

「それもいいかもしれないですね」

「後楽園ホールでやるんだぜ、観《み》に来いよ」

山崎先輩の興奮した声が懐《なつ》かしかった。試合前、いつも先輩はこんな声で僕たちに活を入れてくれたっけ。

ちゃんと熱くなれるものがある山崎先輩が羨《うらや》ましかった。

「もちろん行きます」

僕は言った。

「先輩、どうせなら一発で受かっちゃってくださいよ」

「いくらなんでもそれはまだ無理だ」

なんて言ったものの、山崎先輩はまんざらでもない感じだった。それはそうだ。負ける気で勝負をする奴《やつ》はいない。

あるアイデアが、そのとき浮かんだ。

「姉ちゃんをつれていきますから」

「本当か？」

「はい、誘ってみます」

「絶対だな？」

「絶対です」

　おお、と先輩が声を上げた。

「俺、俄然《がぜん》やる気が出てきた」

　プロテストの当日、僕は約束通り姉貴を誘って、後楽園ホールに出かけた。奈緒子も誘ったのだけれど、殴り合いを観るなんて嫌だと、あっさり断られてしまった。

「それに今、妹が来てるって言ったでしょう。お父さんたちのことで妹もぴりぴりしてて。一緒にいてあげたいから」

　まあ、そういう理由があるのなら、しかたない。

　後楽園ホールに着いたのは昼すぎで、中に入るとそれだけで血が騒いだ。たかが練習生だったけれど、一度でもグローブをつけた身としては、憧《あこが》れの場所だった。高い天井や、まばゆい光に照らされたリングに、僕はうっとりと見とれた。

　姉貴も、ちょっとわくわくしてるみたいだった。

「へえ、きれいなものだね」

ふたりで席につき、順番を待った。

次々に選手が出てきて、下手くそなパンチを打ち、相手を倒したり、倒されたりした。もっとも、倒したからいいというものではない。いちおう試合形式を取っているけれど、プロテストはボクサーとしての基本的な技量が身についてるかどうかを確かめるためのものなのだ。そういうこともあって、試合自体は盛り上がりに欠けた。さすがにプロの六回戦くらいだと迫力があるけれど、とてもそんなレベルではない。パンチはシャープさに欠けるし、フットワークはもたついてるし、冷静な試合運びなんて夢のような話だ。

三十分とたたないうちに姉貴は退屈してきたらしく、あくびを連発し始めた。

「まだなの、巧」

「あと二組」

「もっと派手な殴り合いを期待してたのに、けっこうヘナチョコじゃない。子供の喧《けん》嘩《か》みたい。つまんないよ」

「そりゃそうだよ。プロじゃなくて、プロになるためのテストだし」

「わたし、帰ろうかな」

「もうちょっと待って。二組なんてすぐだから」

僕は慌《あわ》てて姉貴を引き留めた。山崎先輩の勇姿……になるかどうかはわからないけれど、少なくとも先輩が出てくるまでは姉貴にいて欲しかった。

「本当にすぐだから」

「じゃあ、帰りにパフェ奢《おご》って」

「……わかったよ」

先輩のためなら、しかたない。

姉貴が十回くらいあくびをしているうちに一組目が終わり、さらに十回のあくびのあと、二組目も終わった。二組目は、ちょっとした波乱があった。赤コーナーの選手の見事なカウンター・パンチが決まって、青コーナーの選手が派手にダウンしてしまったのだ。スタッフやらドクターやらが慌ててリングに駆け上がって、青コーナーの選手の瞳孔《どうこう》反応を調べたり、気道確保をしたりした。

血の気の多い姉貴は、急に身を乗り出して尋ねてきた。

「あれ、やばい？」

冗談でもそういうことを言うものではない。実際にリング上で死んでしまう選手がたまにいるのだ。初めて観に来た姉貴に、そんなことがわかるわけないけれど。

「大丈夫だと思うよ。ほら、立ち上がった」

トレーナーに肩を担《かつ》がれ、青コーナーの選手は退場していった。たぶん泣いていたと思う。逆に赤コーナーの選手は、よくやったって感じでスタッフに肩をばしばし叩《たた》かれ、嬉《うれ》しそうだった。

そして、先輩の順番がやってきた。

ヘッドギアを身につけた先輩はひどく緊張してるふうだった。リングに上がる前、トレーナーの指示を受けながら、大きな体をゆさゆさと揺すっていた。やがて先輩は僕に気付き、グローブをはめた右手を挙げた。僕も右手を挙げたけれど、先輩の視線は僕じゃなくて、僕の隣、つまり姉貴の方に移動していた。途端、先輩の雰囲気が変わった。急に気合いが入った顔になり、トレーナーの言葉に大きく肯《うなず》き出したのだ。

なかなかわかりやすい反応だった。

僕は姉貴にそれとなくアピールしてみた。

「先輩、姉ちゃんが来てることに気付いたよ」

「あ、そう」

「かなり気合い入ってるよ」

「ふうん」

どうも反応がよくない。

「すごい胸毛だよね、あの人」

「ああ、うん」

「とても日本人には見えない体つきだし」

山崎先輩、こんな口の悪い姉貴ですみません……。

「応援してやってよ、姉ちゃん。俺、あの人にはずいぶん世話になったんだよ。今回は駄目かもしれないけど、応援はしてやろうよ」

巧が世話になったんならしかたないか、と言って姉貴は立ち上がった。

「山崎くーん！　がんばれえーっ！」

大きな声が後楽園ホールに響き渡った。

姉貴の声は、よく通るのだ。

あちこちのギャラリーが姉貴の方を見てきた。ギャラリーは男ばかりだったから、みんなしつこいくらい姉貴のことを観察している。もちろん先輩も見ていた。姉貴に気付いたトレーナーが先輩をつつき、なにか言う。先輩はさらに気合いが入った様子で、両手のグローブをばしばし打ち合わせた。

そしてテストが始まった。

赤コーナーから飛び出した先輩は基本通りにガードを固めながら、これまた基本通りに右まわりのステップを踏んだ。相手の選手もまったく同じような感じだった。プロテストは、三分間一ラウンドを、二ラウンド行う。

最初にパンチを放ったのは、相手の方だった。その瞬間、僕は絶望的な気持ちになった。実に見事なジャブだ。フォームがきれいだし、タイミングの取り方もすばらしい。前に出ようとしていた山崎先輩は、たった一発のジャブで足をとめられた。山崎先輩はかなり真剣に、ボクシングに打ち込んでいる。なにしろプロテストを受けるくらいなのだ。けれど、先輩の対戦相手は、ちょっと格が違った。足がとまった瞬間を狙《ねら》われ、相手の右フックが先輩の脇腹《わきばら》を捉《とら》え、そのまま右を突き上げるように顔面へと打ち込む。きれいな右のダブル。セオリー通りのコンビネーションだった。

うわ、うまい……。

先輩を応援することも忘れ、そんなことを思っていた。これはもう、先輩がどうこうできる相手ではなかった。たぶん高校か大学でアマチュアボクシングをやっていたのだろう。プロテストなんて受かって当たり前というレベルだった。

それでも一ラウンドは、なんとか均衡を保てた。先輩は少々ぎこちないなりにパンチを放ち続け、何発かは相手の顔面を捉えていた。もっとも、相手はうまくスウェーしていたから、ほとんどダメージはなかっただろうけれど。やがて三分が過ぎ、一ラウンド目が終わった。

僕はどうやら途中から息をとめていたらしく、ゴングの音とともに、肺に溜《た》めていた空気が一気に漏れた。

「強いね、相手」

さすがに素人《しろうと》の姉貴にもわかるようだ。

「ちょっと勝てそうもないね」

「わからないよ。勝負だから。それに、勝つための試合じゃないし」

「だけど、倒されたら合格は無理でしょう」

「まあ、うん」

あっという間にインターバルの一分が過ぎ、二ラウンド目が始まった。ゴングが鳴ると同時に、相手選手がリング中央まで飛び出してきた。どうやら本気を出すつもりらしい。最終ラウンドだから、ここでアピールするしかないというわけだ。

僕はぎゅっと両手を握りしめた。頑張れ、先輩――。

ガードを固めた先輩に対し、相手は素早いジャブを二、三発放ってきた。顔に当てるためのジャブではない。ガードを緩めるためのジャブだ。先輩だってわかっていたはずだけれど、それでもガードはきっちり緩んだ。その隙間《すきま》を縫って、相手は見事なストレートを先輩の顔に打ち込む。まともに当たった。先輩がぐらつき、よろよろと後ろに下がる。相手は容赦なく距離を詰め、ジャブとストレートのコンビネーション、つまりワン・ツーを放った。普通なら倒れそうな当たり方だったけれど、さすがはタフな先輩だ。どうにか足を踏ん張って耐え、ガードを上げた。相手が決めるつもりで打ったフックが、先輩のごつい腕に弾《はじ》かれる。相手にとっても、先輩の打たれ強さは意外だったのだろう。ちょっと気の抜けたような瞬間が訪れた。

「先輩！　チャンス！」

僕は叫んでいた。

姉貴も叫んでいた。

「負けるな！　打て！」

姉貴の声は、僕の十倍くらい大きかった。

僕たちの声が響き渡るのと同時に、先輩の体が素早く動いていた。あの太い腕が、ぶうんと空気を切った。実際には、そんな音が聞こえるわけがないのだ。なにしろ十メートルくらい離れているのだから。

でも、確かに、はっきりと聞こえた。

ぶうんと先輩の腕が唸《うな》りを上げた。

重さのある左フックが、相手の右脇腹にヒットした。見事なレバー打ちだった。右脇腹の奥には、肝臓がある。ここを打たれると、どんなボクサーだって一気にスタミナをなくし、動きが鈍る。筋肉は鍛えられても、レバーは鍛えられない。

相手は弱気になって、一歩下がった。

「いけ！　打て打て！」

姉貴は立ち上がって叫んでいた。

もちろん僕も立ち上がった。

「先輩！　ラッシュ！」

山崎先輩は弱気になった相手に詰め寄り、ものすごい回転でパンチを繰り出した。基本を完全に無視した、ジャブともフックともストレートとも呼べない、めちゃくちゃパンチだった。たいていは相手にガードされていたけれど、先輩のパンチはとにかく重いのだ。ガードの上からだって、ノー・ダメージというわけではない。いける、と僕は思った。あんなパンチではプロテストには合格できないだろうけれど、エリート野郎には勝てるかもしれない。勝つというのは、すごく大切なことなのだ。

ところが、さすがに相手はうまかった。打たれまくっているようで、ちゃんと先輩のパンチを見ていたのだ。

先輩が大振りのフックを繰り出そうとした瞬間、開いたガードを狙い澄ましたように、キレのあるストレートを伸ばしてきた。見事なカウンターだった。もろに受けた先輩は、情けないことに尻《しり》からリングに崩れ落ちた。

ダウンだ……。

レフェリーが相手をコーナーに下がらせ、カウントを始めた。ワン、ツー、スリー。冷酷な声が響く中、先輩は尻餅《しりもち》をついたまま、なにが起きたのかわからないという顔をしていた。フォー、ファイブ。僕を見た。僕の隣を見た。シックス、セブン。先輩は立ち上がると、ファイティング・ポーズを取った。まだまだやれるという合図だ。レフェリーが先輩に近づき、なにか尋ねた。先輩はしっかりと肯いた。

大丈夫だ、先輩は闘える。

そして試合が再開された。レフェリーが両手を交差させるように振り、ファイトと叫んだ。もちろん試合慣れした相手が、チャンスを逃すはずはない。ものすごい勢いで突っ込んできた相手は、容赦なくパンチを繰り出す。アマチュア出身らしいしっかりしたジャブ、きれいな軌道のフック、滑らかなアッパー、鋭いストレート。パンチは的確に先輩を捉え、あっという間に先輩は二度目のダウンを喫していた。

まともにストレートを顔面に受け、先輩は吹っ飛ぶように倒れた。誰もが目を覆《おお》いたくなるようなダウンだった。

それでも先輩は立ち上がろうとした。カウントが響く中、上半身を起こす。意識が飛びかかっているらしく、視線が虚《うつ》ろだった。鼻からはみっともないくらいたくさんの鼻血が出て、だらだらと垂れている。鼻血は唇を伝い、顎《あご》を伝い、姉貴が大嫌いな胸毛に滴《したた》り落ちた。

「先輩！」

僕は叫んでいた。

いったい、なんのための叫びだったのだろうか。立ち上がって欲しかったのだろうか。そのまま倒れていてくれと言いたかったのだろうか。立ち上がっても、ぼこぼこにやられるだけだ。だったら倒れていた方がいい。

けれど、それを断固として否定するような声が、隣から響いてきた。

「立て！　山崎君！　立って！」

姉貴だった。

びっくりして隣を見ると、姉貴はむちゃくちゃ悔しそうな顔で、目を吊《つ》り上げ、唇を噛《か》み、両手を握りしめ、リングを見つめていた。

とんでもない大声で叫んだ。

「男なら立て！」

相手側の応援に来ていた数人のムサい男たちも声を失い、びっくりして姉貴を見つめていた。そのとき、後楽園ホールにいる誰もが、姉貴のことを見ていたと思う。

先輩が右手をリングについた。それまでさまよっていた視線が、僕を、姉貴を捉えた。体を前に傾け、先輩はしゃがみ込むような姿勢になった。けれどパンチが効いてるらしく、前に倒れそうになった。今度は左手を前につき、どうにかバランスを取った。カウントはもちろん、続けられている。手をついたまま、先輩は二カウント分、じっとしていた。両足がぶるぶる震えている。パンチが効いていて、平衡感覚を失っているのだ。それでも先輩は立とうとしていた。相手に勝つことではなく、パンチを決めることでもなく、今は立つことが先輩の目標なのだった。

勝利を確信した相手側の連中が、大きな声ではしゃぎ始めた。

確かに勝負は決したのだろう。僕にも姉貴にもわかっていた。だけど今、別の勝負が始まっているのだ。立ってください、と僕は思った。立ってくださいよ、先輩。山崎先輩はまず、右手をリングから離した。そして足に力を込めた。右足がわずかに伸びた。続いて左足を伸ばそうとしたが、そこでふらついた。あと少しバランスを崩したら、また後ろにひっくり返ってしまうだろう。先輩は体を左に傾けたまま、じっとしていた。カウントが続く中、別の闘いを続けていた。鼻血がぼたぼたとリングに垂れた。そしてカウント・ナインをレフェリーが叫んだそのとき、先輩は曲げていた足を一気に伸ばした。

リングのど真ん中に、弱々しく、けれど雄々しく、先輩は立ち上がった。

同時にレフェリーがテン・カウントを宣言し、両手を頭上で振った。試合終了のジェスチャーだ。たとえ立ち上がっても、ダメージが大きいと判断すれば、レフェリーには試合をとめる権利がある。それは妥当な判断だった。立ち上がった先輩の足はまだぶるぶる震えていたし、誰かがほんの少し触れば、あっさり倒れただろう。ようやく立っただけで、試合を続けられる状態ではなかった。これ以上続けるのは、むしろ危険だ。相手選手が両手を天に突き上げ、喜びを露《あら》わにした。スタッフが大声で彼を祝福している。KO負けを食らった先輩は、まばゆいライトを受けながら、リングの真ん中にたったひとりきりで立っていた。

先輩が僕を、僕の隣を、見た。

「立ったぞ」

そう言ってるように思えた。

ああ、その通りだ。先輩は負けた。ノックアウトを食らった。見事にやられた。ぼこぼこにされた。プロテストはもちろん不合格だろう。

だけど、立ち上がったんだ。

確かに、立ち上がったんだ。


先輩に挨拶《あいさつ》したあと、僕たちは後楽園ホールをあとにした。

姉貴はすっかり興奮していて、

「すごい、ボクシングはすごい」

と言って、空間に向かってパンチを繰り出した。

夕方の街はわりと混んでいたので、そんな姉貴をすれ違う人が迷惑そうに、あるいは笑いながら、見ていった。

姉貴はよほどボクシングが気に入ったらしい。

「巧もまたやりなよ、ボクシング」

「いや、俺はいいよ」

「どうして？」

「向いてないんだよ。姉ちゃんも言ってただろう」

「まあね。でも、かっこいいよ、ボクシング」

「うん、かっこいいよね」

ジムの会長やらトレーナーやらがいたせいで、先輩とはあまり話せなかった。顔を腫《は》らし、唇を切った先輩は、僕たちを見ると恥ずかしそうに笑った。

明らかに姉貴を意識しつつ、それでもまず僕に、

「来てくれてありがとうな」

と言った。

「だけど、みっともないとこ、見せちまったな」

「そんなことないですよ。すごかったですよ、先輩」

「KOだぞ、すごくないって」

「だって、あんなパンチ食らって立てる奴《やつ》なんて先輩くらいですよ」

「あれ、効いた。わけわからなくなった」

そこでようやく、先輩は姉貴の方に向き直った。

「ありがとうございました。観《み》に来てくれて」

僕と話すときとは全然違う、優しい声だった。

姉貴の方も、いつもとは違う声で言った。

「すごかったですね。あともうちょっとで勝てたのに」

「いや、勝つのは無理です」

「だけど、最後に立ったとき、本当にすごいと思いました。絶対立てないって思ったのに、立ったから」

「声、聞こえたんですよ」

先輩は赤い顔をしていた。

「男なら立て、って。だから、立たなきゃって」

「わたしの……」

「はい。瑞穂《みずほ》さんが来てくれたから頑張れました」

無骨な先輩にしては、なかなか立派な愛の告白だった。

「ぶっ倒れてる姿を見せたくなかったんで」

その言葉に効果があったのかどうかはわからない。すぐトレーナーたちがやってきて、僕たちは追い出されてしまったからだ。姉貴のマッチョ嫌いと胸毛嫌いはそうとうなものなので、あの攻撃でもノックアウトというわけにはいかないだろう。でも、少しは効いたはずだ。けっこうきれいなパンチだったし。無骨な先輩にしては、実に見事なワン・ツーだった。

約束通り、帰りにパフェを奢《おご》られた。僕はそこらの喫茶店に入るつもりだったのに、姉貴が選んだのは高級ホテルのラウンジだった。人の金で贅沢《ぜいたく》するつもりらしい。なんとパフェは千七百円もしたので、貧乏な僕にはかなりのダメージだった。財布が一気に軽くなった。ジャンプしたら、ちょっとだけ高く飛べるようになったはずだ。

「あんなに打ちのめされても、立てるんだよね」

幸せそうにパフェを食べながら、姉貴は言った。

「人間ってすごいね。立てるんだよ、巧」

「姉ちゃんがいたからだよ」

先輩を助けるつもりでそう言ったところ、

「ふうん」

と姉貴は鼻を鳴らした。まんざらでもなさそうだった。これは意外と、先輩のあの攻勢が効いてるのかもしれない。

「そのジュースおいしい？」

姉貴が尋ねてきた。

僕が頼んだのは、メニューの中で二番目に安いオレンジジュースだった。とはいえ、それでも七百五十円もする。本物のオレンジを搾《しぼ》って作った、フレッシュジュースだった。

僕は肯《うなず》いた。

「うん、うまいよ」

「わたしにも飲ませて」

欲張りな姉貴は、パフェだけでは飽きたらず、僕のジュースまでごくごく飲んだ。

「あ、おいしい、これ」

「わりとね」

「こんなにおいしいオレンジジュースは初めてじゃない?」

「そうでもないかな」

「巧はもっとおいしいの飲んだことあるの?」

うん、と僕は肯いた。


文化祭が終わった次の日、学校の廊下を歩いてたら、加地に声をかけられた。というか、いきなり尻《しり》を軽く蹴《け》られた。

「痛ってえ。なにすんだよ、加地」

大げさに痛がる僕に向かって、

「ありがとうな」

学生服姿の加地は、素直に礼を言ってきた。

長い前髪の向こうで、黒い瞳《ひとみ》が思いっきり笑っていた。

「うまくいったか?」

もちろん本当は知っていたのだけれど、僕は尋ねた。そう、僕は一部始終を見ていたのだ。プラネタリウムの中の出来事も、フォークダンスでちゃんと踊れたことも、そのあとふたりでずっと話していたことも。

僕は加地の口から結果を聞きたかった。

「うん、なんとか。おめでとう」

「よかったな。おめでとう。うまくいった」

「川嶋のおかげだよ」

そう言う加地はちょっと照れ臭そうだった。

「お礼にジュース奢らせてくれよ」

今回は、あっさり受けることにした。

「ありがたく奢ってもらう」

そのあと加地に奢ってもらったオレンジジュースは、僕がこれまで飲んだジュースの中で一番おいしかった。高級ホテルのフレッシュジュースなんて、比べものにならないくらいだった。

夜になってから、僕は部屋の窓を開け、南の空を見上げた。あの文化祭以来、僕はずっと加地と奈緒子のことが気になっていた。他の女の子と付き合ってるときも、本当に大切に思っていたのは加地と奈緒子のことだった。ファイアーストームに照らされたとびきり美しい奈緒子を、奈緒子を手に入れた加地を、太陽よりもまぶしく感じていた。

今でも僕は、はっきり思い出すことができる。プラネタリウムの中で、奈緒子への思いを切々と語った加地の声。ファイアーストームの炎に照らされながら、お辞儀し合ったふたり。仲良く手を繋《つな》いで歩く姿。放課後の教室で、机に向かい合って座り、じゃれていた光景。

僕は右手に持っている絵葉書に目をやった。

何度も何度も取り出しては見ていたものだから、絵葉書の隅には僕の手垢《てあか》がついてしまっている。少し右上がりの、神経質そうな加地の文字は、ある真実を僕に語っていた。奈緒子は絵葉書の存在も、書かれている内容も、まったく知らない。僕が話していないのだから当然だ。奈緒子の、あのすっと伸びた背筋を思うと、そろそろ話してもいいような気がしてきた。たとえそれで加地のことを思い出してしまうのだとしてもかまわない。そういうことを、いつまでも避けていくことなんてできないんだ。

加地の手と、奈緒子の手を、共に握ろう。

三人だけのフォークダンスだ。

忘れようとすればするほど、加地の影はくっきりと浮かび上がる。だったら、取り込んでしまえばいい。なあ、加地。僕は夜空に向かって話しかけた。おまえという人間はこの世にいないけれど、それでもおまえは僕と奈緒子の中で……いや、僕たちのあいだで生きているんだよ。僕は忘れないし、奈緒子もきっと忘れないだろう。僕たちはいつか、おまえのことを平気で話すようになるよ。おまえがやらかした失敗を、財布を落として焦《あせ》ってたことや、なんにもない場所でこけてみんなにバカにされたことなんかを話題にして、げらげら笑うよ。

それでいいだろう?

たとえおまえが嫌だって言ったって、そうするからな。とにかく、奈緒子はもう僕のものなんだ。そしておまえが奈緒子という人間の一部となってしまっているのなら、僕はおまえごと奈緒子を大切にするよ。

それでいいだろう、加地？

夜空に問いかけたけれど、もちろん答えは返ってこなかった。星はただきらきらと光っているだけだ。返事なんて、いらない。幻の答えなんて、必要ない。なぜなら、僕はもう心を決めているからだ。

第七章　星に願いを

お母さんだけがいない生活が、本山家では続いていた。昔の友達に会いたいと言い出した絵里は、春休みが終わるまでこちらにいることになったのだ。お父さんと、わたしと、絵里の、三人の生活。佐賀の家でひとりきりで過ごしているお母さんのことを思うと、すごく申し訳ない気持ちになった。

そんなお母さんを気遣って、絵里は毎日佐賀に電話をかけていた。わたしも何度か、お母さんと話した。意外なくらいしっかりしたお母さんの声に、かえってドキドキした。お母さんはお父さんを許すつもりなのだろうか。それとも、もう諦《あきら》めてしまったのだろうか。

「どうなっちゃうんだろ、うち」

溜息《ためいき》とともに、わたしは言った。隠しておくのも嫌なので、巧君に両親のことを打ち明けたのだった。

「もしかして離婚なのかな」

巧君も真剣に悩んでくれた。

「お父さんかお母さんか、どっちかが折れるしかないんだよな。結局さ。そういや、熟年離婚とか増えてるんだって。前にテレビでそういう番組をやってるの観《み》たことあるよ」

「番組、どうだった？」

「なんか寂しかった」

「寂しい？」

「だってさ、何十年も一緒に生きてきたんだろ。半端《はんぱ》じゃない時間だぞ。それなのに、旦那《だんな》に退職金が出たら山分けしてさよならなんて、すごく寂しいし悲しいよな」

春の日差しがぼんやり輝く夕方だった。わたしと巧君は家の近くの商店街を歩いていた。お互い時間が取れたので、一緒に夕飯を食べることになったのだ。最初は外で食べるつもりだったけれど、お父さんがどこかに出かけていたから、わたしまで出かけてしまうと絵里がひとりきりになってしまう。

「それじゃ絵里ちゃんがかわいそうだよ」

なんの気負いもなく、巧君はそう言ってくれた。

「俺、奈緒子《なおこ》んちに行くからさ、三人で食べようぜ」

「いいの？」

「もちろんいいよ。絵里ちゃんに会うの、久しぶりだし。楽しみだよ」

こういう彼の明るさに、わたしはいつも救われたような気持ちになる。人と人との関係を疎《おろそ》かにしないというか、ためらわないというか。

巧君が家に来ることを話すと、絵里も喜んだ。たぶん絵里は団欒《だんらん》というものに飢えているのだろう。絵里にとっても、巧君の明るさは救いになるはずだ。もちろん夕食はわたしが作るつもりだった。思いっきり腕を振るおう、おいしいものを作ろう、楽しい夕食にしよう。そう意気込んでいたせいで、つい食材をたくさん買い込んでしまった。

わたしと巧君はそれぞれにレジ袋を持って歩いていた。

「本当に寂しいし、悲しいね。その人たちにとって、一緒に過ごした何十年っていう時間ってなんだったんだろう」

「無駄って言っちゃうのは嫌だよな」

うん、とわたしは肯《うなず》いた。

「それじゃ救いがないものね」

また溜息が漏れた。親が別れるって、やっぱり嫌だ。もう二十歳で、小さな子供というわけではないけれど、心が受け入れてくれなかった。

「本当にどうなっちゃうんだろう」

「奈緒子はどう思ってるんだ？」

「どうって？」

「お父さんの考えてること、わかる？」

「まあ、うん。気持ちはわからないでもないかな」

誰にでも夢はある。年を取ったからといって、なくなるものではない。絵里の言う通りだった。いや、むしろ年を取ったからこそ、お父さんは夢を追おうとしているのだろう。問題なのは、それがお母さんの夢と食い違うことだった。

「じゃあ、お母さんは、お父さんの考えを受け入れるべきだと思ってる？　それともお父さんが夢を諦めるべきだと思ってる？」

恐ろしく難しい質問だった。

「両方の願いが叶《かな》うってのはないぞ」

「そうなんだよね」

答えを出せずに悩んでいると、巧君がぼそりと言った。

「あのさ、実は俺、ちょっとお父さんと話したんだ」

「なにを」

「その……会社辞めたいって件」

びっくりした。

いつの間に、そんなことになっていたのだろう。

「お父さん、すごくへこんでたよ。マジで困ってた。お母さんのことだけじゃなくてさ、それで奈緒子たちとの関係まで悪くなることを怖がってた。ほら、お父さんにとって、奈緒子たちは家族なわけでさ。家族を失うのは本当に辛《つら》いって泣きそうな顔してたよ」

「そうなんだ……」

「俺は本山家から見たら他人だろう。まあ、奈緒子とは付き合ってるけどさ。そんな俺がこういうことを言うのは筋違いみたいなものかもしれないけど、俺はお母さんに折れて欲しいと思ってるんだ。おまえさ、今度、佐賀行ってこいよ」

「佐賀？　どうして？」

「お父さんをつれていって、お母さんの前で土下座させるんだよ。畳に頭ごしごしこすりつけてさ。そんなことしても駄目かもしれないけど、ちょっとはお母さんの気持ちを動かせるかもしれないだろう。とにかく悪いのは逃げてきたお父さんだし、そのことをちゃんと謝らせた上で、改めてお母さんを説得するべきだよ。それで、おまえと絵里ちゃんが、嘘泣《うそな》きでいいからべそべそ泣いて、お父さんのお願いを聞いてやってなんて訴えたら、もしかしたらお母さんも許してくれるかもしれないぞ」

「そうかな、そんなんでうまくいくかな」

「駄目なときは、なにをしても駄目だろうけどな」

「うん」

「だけど、できることがあるんなら、やってみるべきだと思うぞ」

巧君の言ったことを考えてみた。確かにひとつの手かもしれない。わたしと絵里とお父さんが揃《そろ》ってべそべそ泣いたら、少しは効果があるかも。ただ、お父さんのためにそこまでするのはなんだか嫌だった。けれど家族が壊れてしまうのはもっと嫌だ。それでうまくいくのなら、やってみてもいいかもしれない……。

夕方の商店街は、たくさんの買い物客が歩いていた。誰もが大きなレジ袋を持っていて、なんとなく急ぎ足だ。肉屋の前を通ると、唐揚げの匂《にお》いがした。八百屋の前を通ると、甘い果実の匂いがした。あちこちに据えつけられたスピーカーからはずっと音楽が流れていて、もちろんすべての電柱にはプラスチックで作られた安っぽい造花みたいな飾りがぶら下がっている。日本各地に数えきれないほどある、ダサい商店街のひとつだった。やがてスピーカーからＳＭＡＰの歌が流れてきた。一番の終わりくらいから、両手に荷物を持った巧君が鼻歌でその曲を歌い出した。

わたしはちょっと笑ってしまった。

これくらいの年の男の子にありがちなように、硬派でありたいと思っているらしい巧君は、洋楽ばかり聞いている。だから洋楽を話題にすることはあっても、邦楽のことはまったく口にしない。というかバカにしている。だけど本当は邦楽だってけっこう好きなのだった。硬派なのに実は邦楽も好きな自分というセルフイメージを受け入れられないでいるだけなのだ。

その巧君が、おそらく自分でも気付いていないのだろうけれど、ＳＭＡＰの曲を鼻歌で歌っていた。

「なんだ？」

わたしが笑ってることに気付いた巧君が、不思議そうに尋ねてきた。

慌《あわ》てて首を横に振った。

「ううん、なんでもない」

会話が途切れると、巧君はまたＳＭＡＰの曲を歌い出した。わたしも少し鼻を鳴らし、同じ曲を歌った。わたしたちの鼻歌が重なる。日本中に無数に存在するであろうダサい商店街の、普段は無用に感じているBGMに、このときばかりは感謝したくなった。

なんでもない、こういう日々――。

いろんなことを話しながら一緒に買い物をしたり、レジ袋をふたりで持って歩いたり、その袋を「貸せよ」と当たり前のように巧君が持ってくれたり、ふたりでSMAPの曲を鼻歌で歌ったり。

それはとても幸せな瞬間だった。

ありふれていることかもしれないけれど、だからといって、ちっとも輝きは褪《あ》せたりしなかった。こうして、いつまでも、どこまでも、時間が流れていけばいい。ときには辛いことや苦しいこともやってはくるだろうけれど。

ああ、いや、すでに来た……来てしまったんだ……。

どうしようもなく辛く苦しいことはやってきて、いまだに去っていない。わたしたちの心の中で、化膿《かのう》してしまった傷のように、じんじんと痛みと熱を放ち続けている。けれど、そういった痛みを抱えながらでも、当たり前の日常があるのなら、巧君と鼻歌なんか歌えたりする瞬間があるのなら、わたしは生きていけると思った。

わたしは肉やら野菜やらがいっぱい入ったレジ袋を頑張って持ち上げ、右手の人差し指で目の端をごしごし擦《こす》った。ねえ、加地君。わたしはこれからも生きていくよ。こういう瞬間に幸せを感じながら、少しずつ君のことを忘れていくよ。だけど本当に忘れたりはしないよ。

やがて、隣を歩く巧君が、

「お、福引きやってる！」

と嬉《うれ》しそうな声を上げた。

商店街の真ん中に大きなテントが張ってあって、その下に法被《はっぴ》を着たオジサンたちが何人か集まっていた。そしてお馴染《なじ》みのガラガラまわす福引き機が、折りたたみ式の机の上に据えつけられていた。

巧君がポケットから緑色の紙片を何枚か取り出した。さっき八百屋で大根と果物を買ったときに貰《もら》ったものだ。商店街おたのしみキャンペーン抽選券、と大きな字で印刷してあった。

「これだ、これ。あ、五枚で一回抽選だってさ」

巧君が持っているのは、三枚だった。

「奈緒子も何枚か持ってるだろう。ほら、和菓子買ったとき」

「あ、うん」

ポーチから財布を出して確かめると、二枚あった。

合計五枚というわけだ。

「よし、ちょうど一回引けるな」

巧君は鼻息荒く言った。

「一回じゃ当たらないよ」

「わからないぞ。むしろ一回にかける気持ちが当たりを呼び込むかもしれない」

「そうかな」

首を傾《かし》げつつも、わたしは巧君の気合いの入った顔が嬉しくてたまらなかった。巧君は、わたしとは全然違う。加地君とも違う。わたしや加地君なら、引く前からはずれることを考えていただろう。はずれてがっかりするのが嫌だから、心の準備をしておく。だけど、巧君は当たることを考える。

わたしは今も、加地君と巧君をこうして比べてしまう。けれど、そのことに対する疚《やま》しさは消えつつあった。

そう、どうしようもないことなのだ。

巧君はわたしの手を取ると、足を速めた。

「早く行こうぜ、奈緒子」

「福引きは逃げないよ」

「いいから、ほら、早く行こうぜ」

ぐいぐい引っ張られ、テントに近づいていった。そうしてテントの前にたどりついた途端、わたしはびっくりして声を上げた。

「お父さん？」

法被を着てテントの中に立っていたのは、なんとお父さんだったのだ。

お、奈緒子か、と嬉しそうにお父さんは言った。

「巧君も一緒なんだな」

「こんちは」

巧君がぺこりと頭を下げた。

「なにしてるの、お父さん」

「手伝いだよ、源治郎さんに頼まれてさ」

「誰、源治郎さんって」

「この商店街の副理事長だよ。知らないのか？　そこの角に肉屋あるだろ？　ほら、唐揚げがうまい店」

「ああ、うん」

「商店街と町内会に公式な繋《つな》がりはないんだが、けっこうメンツが重なってるんだよ。それで手伝ってくれって言われてな。どうせ暇だから、いいよって言っちゃったんだ。おまえたちも抽選に来たのか」

「うん」

「じゃあ、五枚で一回だ」

巧君が緑色の抽選券を差し出した。

「これでお願いします」

わたしがまわすか、巧君がまわすか相談した末、わたしがまわすことになった。こんなの、いつ以来だろうか。まったく覚えがない。お父さんと巧君にじっと見つめられ、なんとなく気恥ずかしさを感じながら、わたしはハンドルを握った。当たりますようにと祈りつつ、腕に力を込める。がらんがらんと福引き機が回転して、黄色い玉がトレイに転がった。ああ、黄色か。きっと駄目だ。

「黄色？　何等？」

それでも巧君は抽選内容が書かれた看板を確認した。

「五等」

お父さんが答えを教えてくれた。

「ティッシュだな」

要するに、はずれみたいなものだ。まあ、いいか。ティッシュなら家で使えるし。と思っていたら、お父さんが周囲をさっと確認し、こう言ってきた。

「もう一回まわしていいぞ」

「え？　はずれたよ？」

「大丈夫。今、お父さんしか見てないから。一回だけだぞ」

「やったな、奈緒子」

巧君は元気を取り戻して、子供みたいに楽しそうな目でわたしを見てきた。お父さんも同じように笑っていた。ズルだけど、一回くらいならいいか。今度はあまり念を込めずに、がらりと福引き機をまわした。中で、小さな玉がじゃらじゃらと転がる感触。そのとき、なにか予感がした。ハンドルを握る手が、福引き機と融合してしまったような感じだった。そして、ころんという音とともに出てきた玉は、ピンク色をしていた。わたしはそのピンクの玉を見つめた。巧君も見つめた。お父さんも見つめた。

ぐわらんぐわらんぐわらん——

そんな音がいきなり響いた。目の前にいるお父さんが、ものすごい勢いで大きな鐘を振りまわしていた。まるで地球を音で壊そうとしているかのような振りっぷりだった。お父さんの顔には満面の笑みがあった。

「え？　一等？」

びっくりしながら、巧君がわたしを見てきた。

もちろんわたしもびっくりしていた。

「一等？　本当に？」

折りたたみ机に立てかけてある看板に、賞品の内訳が書いてあった。人の背丈くらいの看板にいっぱい文字が並んでいるのに、こういうときは不思議なもので、一等の賞品名だけが目に飛び込んできた。ハワイ旅行、と書いてあった。一等賞品、豪華ハワイ旅行。

「ハワイ？　本当に？」

巧君はちょっと慌てていた。

「それっていいのかな？」

「そ、そうだよね。だって――」

ズルだし。わたしたちが集めた福引き券は五枚。つまり一回分だ。その一回は五等のティッシュだった。ピンクの玉が出たのはおまけの二回目だ。ハワイ旅行を当てた喜びと、ズルをした後ろめたさのあいだで、わたしたちは戸惑っていた。お父さんの振りまわす鐘の音が、そんなわたしたちの戸惑いをどんどん加速させていく。ああ、どうしようか。ハワイに行っていいものだろうか。それは卑怯《ひきょう》な気がする。

「大当たり！　三等賞！」

お父さんはしかし、大声でそう叫んだ。

「三等賞が出ました！」

え、三等？

ハワイ旅行ではなかった。当たったのは、三等の最高級松阪牛《まつざかぎゅう》三万円分だった。まあ、これならズルでも貰っておいていいかと納得し、三等の引換券を持って、肉屋の源治郎さんのところに向かう。

わたしが引換券を差し出すと、源治郎さんは、

「お、やったね」

と言って、上等な松阪牛を包んでくれた。

「ちょいとおまけしておいたよ。こういうのは縁起物だからね」

その松阪牛で、すき焼きをすることになった。急遽《きゅうきょ》メニュー変更だ。もういろんなものを買ってしまったというのに、わたしたちはふたたびスーパーや八百屋に寄って、食材を買い揃《そろ》えた。白菜、シラタキ、椎茸《しいたけ》、ニンジン、焼き豆腐。二食分の食材はものすごい量になってしまい、わたしたちは両手いっぱいにレジ袋をぶら下げて歩いた。

「奈緒子、荷物貸せ」

「もう巧君も両手ふさがってるじゃない」

「口にくわえる」

もちろん冗談だ。巧君は笑ってた。

「いいね。ほら」

わたしが荷物を少し持ち上げてみせると、巧君は口にくわえる振りだけした。ああ、なんて楽しいんだろうか。こういう瞬間が、ちゃんとある。帰りに、またテントの前を通りかかった。二度目の買い物のおかげで、さらに抽選券が五枚ほど集まっていたけれど、さすがに図々《ずうずう》しすぎるので福引きはしないことにして、お父さんに声だけかけた。

「お父さん、今日何時ごろ帰ってくる？」

「遅くなるぞ。商店街の人たちと打ち上げをやることになってるんだ」

「ううん、それは惜しいな」

わざとらしく、わたしは言った。

お父さんは律儀《りちぎ》に不思議がってくれた。

「え？　なにがだ？」

「今日はすき焼きですよ、すき焼き」

巧君が嬉しそうに答えを言ってしまう。

「さっき引き換えてもらったんですけど、ものすごくいい肉でしたよ」

「お父さん、あの肉食べられないんだね」

「うわ、それは残念だな。でも、俺がいっぱい食べるから」

「わたしもいっぱい食べようっと」

はしゃいでそんなことを巧君と言い合っていたら、お父さんが、

「ちょっと待て」

と口を挟んできた。

「やっぱり今日は早く帰ることにする」

数日前、珍しく早めに起きたところ、お父さんがリビングの窓辺に座り、本を開いていた。またわたしの少女マンガでも読んでるのだろうかと思って覗《のぞ》いてみたら、『車輪の下』だった。

わたしの視線に気付いたお父さんが、

「この本、おまえのか？」

と尋ねてきた。

わたしは少しだけ迷った末、肯《うなず》いた。

「うん、そう」

少し前なら、肯けなかったかもしれない。加地君の本だと言っただろう。でも今、わたしは肯く。この本はもう、わたしのものだった。加地君が遺《のこ》していったものを、わたしはそっくり引き継ぐ。わたしたちは、そういう関係なのだ。

「探し物があったから二階の納戸《なんど》に行ったら、これを見つけてな。若いころ、読んだことがあるんだ。懐《なつ》かしくなって、読み返してるところだよ。まだ半分くらいしか読んでないから、しばらく借りていていいか」

「いいよ。それ、おもしろい？」

わたしはパジャマのまま、お父さんの隣に腰かけた。やけに暖かくて、春を感じさせる穏やかな日差しが、わたしとお父さんの足下でのんびりと揺れていた。以前、同じように、こうして窓辺に並んで腰かけたことがあった。あれはいつのことだろうか。まだわたしはずいぶん幼かったはずだ。記憶にあるわたしの足は、もっともっと小さかったから。

「おもしろいぞ。若いころに読んだときとは、また違う感じがするな」

「そんなもの？」

「ああ、全然違う。前もわりとおもしろい話だと思ったんだが、今読むとさらにおもしろい。川嶋《かわしま》君が言っていた通りだよ。立っている場所が変わると、同じ風景でも違うように見えるものなんだな」

それは、加地君の言葉。覚えていた巧君が、お父さんに言った。そして今度は、お父さんがわたしに言っている。言葉や思いは、こうして巡っていくのだ。もうこの世にいないのに、加地君の思いは確かにお父さんにまで伝わっている。

「わたしもいつか読んでみようかな、その本」

自然と、そんな言葉が出ていた。

お父さんは不思議そうな顔をした。

「読んでないのか？　奈緒子の本なんだろう？」

「譲ってもらった本だから。まだ読んでないの」

「そうか。じゃあ、お父さん、読むことをお薦めするぞ」

お父さんは、その古くて薄い文庫本を確かめるように、ぱらぱらとめくった。やがて本のあいだから一枚の葉っぱが出てきて、床に落ちた。それは、かつてわたしが公園で見つけたローリエに似た葉っぱだった。わたしが加地君に渡した葉っぱだった。ありがとうと笑いながら、加地君が受け取った葉っぱだった。

おや、と言って、お父さんはその葉っぱを拾った。

「なんだ、これ」

「栞《しおり》にね、使ってたの」

「ああ、栞か」

「本を譲ってくれた人が使ってたの。ねえ、ちょっと見せて」

お父さんから葉っぱを受け取り、じっと見つめた。時間がたって乾燥したせいか、少し色褪《いろあ》せてカサカサしていた。その瞬間、わたしの時間は遡《さかのぼ》っていた。小さな公園のブランコに乗り、手を振れないまま、それを残念に思いつつ、加地君を見つめていた。加地君は笑いながら手を振っていた。

「どうしたんだ、奈緒子」

「ん、なんでもない」

わたしはお父さんに葉っぱを渡した。

葉っぱの裏表を確かめてから、お父さんはふたたび本に挟んだ。

「お父さんもこれを栞にさせてもらおう」

わたしが加地君に渡した葉っぱを、今はお父さんが使っている。そのうち、わたしも使うだろう。巡っていくのは、思いだけではない……。


最高級松阪牛という豪華な言葉がわたしたちを刺激したのか、ずいぶんと賑《にぎ》やかな夕食になった。お父さんが家に帰ってきたときには、もう準備は整っていた。ネギは斜め切り、椎茸にはもちろん十字の飾り切り、ニンジンは花の形。お父さんと絵里と巧君が陣取るテーブルの真ん中には、卓上コンロとすき焼き鍋《なべ》が鎮座していた。

「それでは、肉を出します」

わたしが宣言すると、三人が揃って拍手をした。その拍手の中、最高級松阪牛を並べた皿を冷蔵庫から取り出し、恭《うやうや》しく捧《ささ》げ持ち、わたしはリビングに入っていった。拍手がいっそう大きくなった。

テーブルに皿を置くと、全員が輝いた顔で覗き込んできた。すごい、と巧君が鼻息荒く言った。おいしそう、と絵里が笑った。これはたまらないな、とお父さんが喉《のど》を鳴らした。わたしは抽選でこの肉を当てただけなのだけれど——しかもズルで——なんだか誇らしい気持ちになった。

「じゃあ、始めようか」

お父さんの言葉とともに、いよいよすき焼きが始まった。九州系の家庭である我が家のすき焼きは、関東風ではなく関西風である。割り下を使わないやり方に、巧君はびっくりしていた。わたしと絵里はお茶を飲んでいたけれど、お父さんと巧君はビールをものすごいペースで消費し、すき焼きができあがるころにはすっかり顔を赤くさせていた。

「うわ、やばい。この肉、やばすぎる」

お父さんの前で猫をかぶることのなくなった巧君が、肉を噛《か》みしめながら叫んだ。

「脳内物質出まくり」

絵里はもりもり肉やら野菜やらを食べていた。

「おいしい。すごい。最高級松阪牛って奇跡だね、お姉ちゃん」

「うん、これは本当に奇跡だよ。すごい」

興奮したわたしたちは大きな声でむちゃくちゃなことを言い合った。最高級松阪牛は信じられないくらいおいしかった。口に入れた瞬間、肉がとろりと溶けてしまうのだ。それでいて、濃厚な味わいがしっかり残る。その脂《あぶら》が染《し》み通った野菜がまたおいしかった。三本百円のネギはいつもと違う品種みたいに甘かったし、シラタキはすすると肉のうまみが口中に広がったし、椎茸は嚙めば嚙むほどおいしくなった。

「これはすごいな。お父さんもこんなにうまい肉は初めてだ」

お父さんも子供みたいな顔になって、肉をもりもり食べていた。そしてビールをごくごく飲んだ。当然、巧君はそのお父さんのペースに付き合って、缶ビールを次々空けていった。ほんの三十分ほどで、お父さんと巧君の前には何個もの空き缶が並んだ。

ふたりはすっかり酔っぱらい、大声でいつものようにスポーツのことを話していた。

「いや、お父さん、玉田はすごい選手なんですよ。前に一回、柏《かしわ》の試合を観《み》に行ったことがあるんですけど、あのときの玉田はひとりで仕事をしてましたよ。ディフェンダーが当たりに行っても、全然とめられないんですよね。ひとりじゃとめられなくて、ふたり当たりに行って、ふたり目もとめられなくて、結局シャツ摑《つか》んでイエロー貰《もら》ったりしてましたから。確かに今は調子悪いですけど、そのうち絶対また来ますよ、玉田は」

「松井は、リトル松井じゃなくて、ビッグ松井の方だけど、あれは絶対いつか四十本打つぞ。まだまだ本領は発揮してないんだ。なにしろ、ヤンキースの四番だ。伝統のピンストライプだぞ、川嶋君。ぜひとも見たいものだな、松井がワールドシリーズでホームランをかっ飛ばすところを。今年は無理かもしれんが、来年、いや二年後には、必ずチャンスが来るはずだ。それでな、これは勝手な望みだが、いつか松井には日本に帰ってきて欲しいんだ。引退間際《まぎわ》でいいからね。元気のない日本のプロ野球をゴジラパワーで活気づけて欲しいね」

「中村か小野かって議論は、無意味だと思うんですよね。だって、ふたりともすごい選手じゃないですか。中学のとき、浦和の練習を観に行ったら、小野がリフティングしてたんですよ。もう、すごかったですよ。ボールが小野の体にまとわりついているように見えるんですよね。ボールの方がですよ、勝手に小野にくっついてる感じなんです。周りで浦和の選手たちが見てたんですけど、みんなもちろんプロですけど、そのプロが歓声上げてました。すごいですよ、小野。中村も、同じくらいすごいです。二〇〇二年シーズンの、イタリア行く前の中村は飛び抜けてましたよ。あのときの横浜は左にドゥトラがいて、前にウィル、後ろに上野と奥がいたんですよね。このメンツで、真ん中に中村ですよ。連中が攻め上がってくると、とめられる気がしませんでしたね。中村がそれでまた、すごいプレーをするんですよ。ジュビロの服部《はっとり》とか全盛期でしたけど、中村に遊ばれてましたから」

「やっぱり監督は原だよ、川嶋君。そうだろう。だって、原は生え抜きだよ。ＯＢ会からの信頼も厚い。なにより、彼が残した実績の立派さを考えたら、他の選択肢なんかそもそもないんだよ。だいたい、前に監督を辞めたのがおかしかったんだ。だって、前年の優勝監督だよ。一回優勝できなかったくらいで、なんで監督を辞めなきゃいかんのだろうね。ジャイアンツの最大の問題は、あのフロントなんだ。まったくおかしな話だよ。原には頑張って欲しいね。ジャイアンツ伝統の、守備を中心にした野球をするんだ。もちろん他から選手を金で引っ張ってくるようなバカな真似《まね》はしないさ。いい素材はたくさんいるんだから、彼らを育て上げればいいんだ」

端で聞いていると、ふたりの会話はまったく嚙み合っていなかった。それぞれが勝手に自分の言いたいことを言ってるだけだ。なのに、ふたりは互いの言葉に肯き、まったくだ、その通りですよ、いや川嶋君はわかってるな、お父さんこそさすがですよ、なんて言い合っていた。どうもふたりはそうとう酔っぱらっているらしい。まあ楽しそうなのでいいかと思いつつ、わたしと絵里はひたすら肉を食べていた。

「今日ね、ヨシ君から電話かかってきたの」

「え？　なんて？」

「もう一回付き合って欲しいって。俺が悪かったって。もちろん許せないから、わたし怒ったんだけど、そのうちヨシ君の声が聞こえなくなって。あれ、どうしたんだろうと思ったら、鼻水する音が聞こえてきたの。ヨシ君、たぶん泣いてた」

「嘘《うそ》泣きじゃなくて？」

「絶対違う。本当に泣いてた。わたしのことが忘れられないって。ねえ、お姉ちゃんは許すべきだと思う？」

「ううん、どうかな」

「もうね、自分のことなのにわけがわからないの。ヨシ君のこと、本当はまだ好きなんだよね。許したら、また付き合えると思うと、許したくなるの。でも好きだから許せない気持ちもあるんだよね。ああ、わたし、どうしたらいいのかな。ねえ、お姉ちゃんが決めて。許すか、許さないか」

「そんな無茶な」

「無茶じゃないよ。だって、もういっぱい考えたもの。どんなに考えても、全然答えが出ないんだから、お姉ちゃんが決めてくれたことに従うことにする。なにしろ、お姉ちゃんは最高級松阪牛《まつざかぎゅう》を当てた女だし」

「いや、それ、ズルだから」

「え？　そうなの？」

「ちょっとだけね」

「でも当てたのは確かだから。お姉ちゃん、ほら、早く決めてよ。許すのか、許さないのか」

「じゃあ、許さないことにする」

「ええ、そんな」

あっさり言ったら、絵里は大げさにのけぞった。

そして、まるで非難するような目で見つめてきた。

「じゃあ、許すことにする」

「簡単に意見変えないでよ」

やっぱり非難するような目だ。いったいどうしろというのだ。わたしは不機嫌になって、一番大きな肉を鍋から取ると、卵にたっぷり浸して口に入れた。あんなに大きな肉だったのに、あっという間に溶けてしまった。

「あ、お姉ちゃん、ズルい。それ、わたしが目をつけてた肉なのに」

「いいじゃない。まだあるんだから」

「だって、一番おいしそうだったんだよ」

最高級松阪牛を囲む夕食は盛り上がりに盛り上がった。お酒を飲んでいないわたしと絵里でさえ、なにかに酔ったように喋《しゃべ》り続けた。そのうち、お父さんが椅子《いす》に座ったまま、舟をこぎ始めた。おいしいものをお腹《なか》いっぱい食べ、お酒を飲み、楽しい会話をし、そして今は夢心地だ。そのうち、わたしと絵里につれられて佐賀に戻り、土下座させられる未来が待ってるなんて知らずに、とにかく気持ちよく眠っている。巧君もすっかり酔っぱらい、どうにか椅子に座ってはいたけれど、目はもう半分くらい閉じていた。そしてまたもやSMAPの曲を鼻歌で歌っていた。

さすがにお腹がいっぱいになってきたので、わたしは箸《はし》を置くと、席を離れた。そして納戸《なんど》に使っている二階の四畳半に行き、部屋の一番奥にある押し入れの前に立った。この一年半、わたしは決してこの扉を開けようとしなかった。扉に手を触れることさえ恐れ続けていた。しかし今、不思議なほど穏やかな気持ちで、わたしは押し入れの扉に手をかけていた。開けると、そこに丸い塊があった。

加地君のプラネタリウムだ。

高校を卒業したあと、加地君が預かっておいてくれと言って、持ってきたのだった。言葉通り預かって欲しかったのか、ただの照れ隠しで実はプレゼントだったのか、彼がいなくなってしまった今は、確かめようもない。

かけてある白い布の上に、埃《ほこり》がうっすらと積もっている。布をどけると、埃が舞った。咳《せ》き込みつつ、埃がおさまるのを待って、それからプラネタリウムをよいしょと抱え上げた。

階段を下りるのが一苦労だった。けっこう重い。それに足下が見えないから怖かった。もし転げ落ちたら、わたしは怪我《けが》をするし、プラネタリウムは壊れてしまう。その予感は、少しだけ当たった。つい気を抜いてしまったのか、最後の一段で足を滑らせたのだ。あっと思ったときには遅くて、わたしは滑り落ちていた。だけど全然痛くなかった。

布団《ふとん》のおかげだった。

この半年、わたしが眠り続けてきた布団。ずっと敷きっぱなしになっている布団。それが落ちたわたしとプラネタリウムを受け止めてくれたのだった。プラネタリウムを床に置き、わたしはふうと息を吐いた。またこの場所が、布団が、助けてくれた。リビングにプラネタリウムを持っていこうと思っていたのだけれど、ここでいい気がしてきた。いや、ここが、この玄関こそが、ふさわしい。

玄関は人が入ってくる場所。そして人が出ていく場所。

延長タップを自分の部屋から持ってくると、洗面所のコンセントにプラグを差して、ずるずると玄関まで引っ張ってきた。どうにか長さは足りた。これで準備は終わりだ。わたしは布団の上に座り込み、丸いプラネタリウムをじっくりと眺めた。なにもかもが、このプラネタリウムから始まったのだ。たいした決意はなく、もう涙を流すこともなく、わたしはスイッチを入れた。

星空がいきなり現れた。

加地君が遺《のこ》していったプラネタリウムは、あの十七歳のときに観たのと同じ美しい星空を、玄関いっぱいに映し出していた。わたしはプラネタリウムを動かして、牡羊《おひつじ》座《ざ》をちょうど玄関ドアの上に持ってきた。とても地味な星座。けれど本当はすごい星座。加地君が今、ここにいるような気がした。いや、違う。確かにいるのだ。いつでも、どこでも、加地君はそばにいる。

ぼんやりと加地君が作り上げた星空を眺めていたら、巧君が千鳥足でやってきた。

「おお。なんだ、これは」

「プラネタリウム。加地君がね、うちに置いていったの」

「へえ、おまえが持ってたのか」

嬉《うれ》しそうな声で言って、巧君はその顔を上げた。

「むちゃくちゃきれいだな」

「うん、本当にきれい」

わたしたちはしばらく、玄関いっぱいに映し出される星々を観ていた。

加地君が作ったプラネタリウムは、たくさんの光を放射状に放ち、それ自体がきらきらと輝いていた。まるで加地君のように。あるいは、加地君の思い出のように。

やがて巧君がわたしの隣に腰を下ろした。

「俺さ、加地に絵葉書貰ってたんだ。あいつが死ぬ、ちょっと前に」

「絵葉書？　加地君から？」

「ごめんな。ずっと黙ってて。なんだか話しづらくてさ。その絵葉書に、旅先で女の子と知り合ったって書いてあった。加地、彼女に誘われてたらしいよ。一緒に部屋で飲もうって言われたんだってさ」

「加地君、どうしたの？」

「部屋に行くのは断わったけど、キスはしたって。加地の奴《やつ》、やっぱり気が咎《とが》めたみたいで、それで俺に絵葉書を送ってきたらしい。あいつさ、バカなんだぜ。『彼女の誘惑に負けないように、川嶋に葉書を送ります。もし帰ってきて俺の態度がおかしかったら、奈緒子にばらしてください』なんて書いてあった」

少しのあいだ、思考がとまった。どう捉《とら》えていいかわからなかった。一回だけ、息をする。それで頭が動き出した。意外と動揺してないな、平気だ、と思って瞬《まばた》きしたところ、目頭がいきなり熱くなった。体って正直だ。機械みたいに反応する。女の子の笑顔が、頭に浮かんだ。そうか、加地君は彼女とキスをしたのか。加地君の人生最後のキスを持っていかれてしまった。

「キスだけだと思う？」

尋ねると、巧君は肯《うなず》いた。

「あいつの性格からして、俺にあんな葉書を送ってきた以上、絶対先には進まなかったと思うよ。まあ、本当のことはわからないけどな」

「そうだね。わからないね」

複雑な気持ちだった。許せるかといえば、許せない。加地のバカ、と思う。たとえキスだけだったとしても罵《ののし》りたくなる。けれど同時に、わたしに悪いと感じていたということは、救いでもあった。ちゃんとわたしのことを思ってくれていた証《あかし》だ。最後の最後まで、ちゃんとわたしのことを好きでいてくれたのだ。

憎らしいと思う気持ちと、愛《いと》しいと思う気持ちが、ゆらゆらと揺れた。

けれど、それも過去のことだ。否応《いやおう》なしに時は流れ、物事は変わっていってしまう。いいとか悪いとかではない。今、わたしの横には巧君がいて、彼はプラネタリウムが映し出す星空を眺めている。加地君ではない。巧君なのだ。

ごめん、とまた巧君が謝ってきた。

「ずっと隠してて悪かったよ」

「ううん。大丈夫」

「大丈夫？　本当に？」

「キスの件は……ちょっと駄目かもしれないけど」

「黙ってた方がよかったかな？」

わたしは首を振った。

「教えてくれてありがとう。わたしね、あの女の子のこと、ずっと気になってたの。変な話だけど、加地君が死んじゃったのと同じくらい、あの女の子のことが頭から離れなかった。でも、今の話を聞いて、少しすっきりした。加地君もやっぱり男なんだなって」

「キスだけだよ、きっと」

「うん、たぶん。……わからないけど」

「いや、本当にそうだって。加地の性格、知ってるだろう。あいつはいったん決めたら、絶対に守る男なんだよ。あんな葉書を送ってきて浮気なんてあり得ないって」

巧君は早口で言った。まるで自分の浮気の言い訳をしてるみたいだった。彼のその様子がおかしくて、つい笑ってしまった。わたしとの関係を考えたら、加地君を悪者にしておいた方がいいかもしれないのに。加地君を擁護しても、巧君にはなんの得にもならないはずだ。

そんなことを指摘すると、巧君はなにか考え込むような顔になった。

「加地のことだけどさ」

「うん」

「奈緒子には言ったことなかったけど、俺、ずっとあいつのこと考えてたんだ。あいつが死んでから、毎日毎日、あいつのことを思い出してた。あいつと過ごした時間とか、下らない会話とか、そんなことばかりだけどさ」

「わたしも同じだよ」

「忘れられるわけないよな」

「うん」

「ちょっとずつは忘れていくけどな」

「そうだね」

わたしは肯いた。

「でも、なにかはきっと残るよ」

「ああ、ちゃんと残る。俺、ようやく気付いたんだ。あいつのことを忘れる必要なんてないんだ。どうせ忘れられないんだからさ。あいつは俺の中にいるし、奈緒子の中にもいる。それでかまわないんだと思う」

わたしはびっくりした。

「同じこと、わたしも思ってた」

「そうか」

しばらくしてから、巧君は言った。

「よかった」

やがて、お父さんと絵里もやってきた。さすがにこの光景にびっくりしたらしく、ふたりは大きな歓声を上げた。絵里はすごいすごいと何度も繰り返し、玄関中を見まわした。お父さんは技術者の血が騒いだのか、星じゃなくてプラネタリウム本体の方に目をやって、「なかなかうまく作ってるね」と言った。お父さんがなにかのスイッチを入れると、ゆっくりと星空が回転し始めた。

「すごいね」

うっとりした声で、絵里が言った。

「うん、すごいよね」

なんだか誇らしい気持ちで、わたしは肯いた。

巧君も同じように誇らしげだった。

「本当に見事だよな」

お父さんが尋ねてきた。

「これ、手作りのようだが、誰が作ったんだい？」

わたしと巧君は一瞬だけ目を合わせた。

口を開いたのは、巧君だった。

「加地って奴です」

ほう、とお父さんは言った。

「たいしたものだね、その加地って子は」

「はい」

「うん」

巧君の返事と、わたしの返事が、ぴったり重なった。それからわたしたち四人は、しばらく黙りこくって、加地君のプラネタリウムが映し出す星々を見つめ続けた。

最愛の恋人を失うのは、とても辛《つら》いことだった。この一年半余り、わたしはただ呼吸をしていただけで、ちゃんとは生きていなかった。思い出そうとしても、まるで陽《かげ》炎《ろう》のようにしか記憶は蘇《よみがえ》ってこない。

たぶん、一度、わたしの心は壊れてしまったのだと思う。

不幸なんて、いくらでもある。珍しくもなんともない。けれど、ありふれているからといって、平気でやりすごせるかといえば、そんなわけはないのだ。じたばたする。泣きもする。喚《わめ》きもする。それでもいつか、やがて、ゆっくりと、わたしたちは現実を受け入れていく。そしてそこを土台として、次のなにかを探す。探すという行為自体が、希望になる。

とにかく、終わりが来るそのときまで、わたしたちは生きていくしかないのだ。

たとえそれが、同じ場所をぐるぐるまわるだけの行為でしかないとしても、先を怖がって立ち止まっているよりは百倍も……いや一万倍もましだ。

だから、わたしは進もうと思う。

恐れながら、泣きながら、進もうと思う。

「あ、そうだ」

巧君がそんな声を上げたのは、五分くらいしたころだった。

「流れ星マシンはどこにあるんだよ」

巧君がなにを言っているのか、わたしにはよくわからなかった。

「ほら、真四角の装置だよ。サイコロみたいな感じの」

「あ、二階の押し入れ。あれ、使えるの？」

「使える使える。どこだよ、二階の押し入れって」

「ちょっと待ってて」

階段を上って納戸《なんど》に行き、一番奥にある押し入れを覗《のぞ》き込むと、巧君が言った通りのものが転がっていた。それを持って、わたしは階下に戻った。

「うわ、懐《なつ》かしいな」

その装置を手にした巧君はしげしげと眺めまわした。

「巧君、知ってるの、それ」

「ああ。だって俺と加地で作ったんだぜ。まあ、俺はちょっと手伝ったくらいだけどな。ええと、コンセントは？」

「ここだよ」

巧君は装置から延びているコードを延長タップに差すと、一度咳払《せきばら》いした。そして、やけにかしこまった声で言った。

「今から流れ星を流します。みなさん、その流れ星に願いをかけてください」

巧君はすぐにスイッチを入れようとしたけれど、絵里がとめた。

「ちょっと待って！　なにを願うか考えさせて！」

「ああ、そうか」

肯いて、巧君は言った。

「願いが決まったら、手を挙げてください」

全員黙り込んで、それぞれの願い事を考えた。遊びみたいなものなのに、誰もがまじめな顔をしている。お父さんも、絵里も、巧君も、もちろんわたしも真剣に考え込んだ。最初に絵里が手を挙げた。続いてお父さんが手を挙げた。わたしと巧君が挙げたのは同時だった。全員の注目を集めた巧君は、わたしたちをゆっくりと見まわした。そして最後に、わたしに視線を戻した。彼の瞳《ひとみ》が薄闇《うすやみ》の中で光っている。以前、まったく同じことがあった。十七のわたしと加地君は、こうして互いのことを見つめ合った。あれから三年半がたち、加地君はこの世から消え去り、今は巧君がわたしを見つめている。わたしが小さく肯くと、巧君も小さく肯いた。

「じゃあ、星を流します」

神妙な声で言って、彼は流れ星マシンのスイッチを入れた。その直後、無数の流れ星が玄関を埋め尽くした。信じられないくらい、美しい光景だった。ひゅんひゅんと音が聞こえてきそうなほどだ。わたしたちの頭上を、加地君が作った夜空を、無数の星が流れていった。

そのたくさんの流れ星に、わたしたちは願いをかけた。

解説

重松　清

そういえば——と、本書を読了したあとでふと思ったのだ。

なぜ、ひとは、亡《な》くなったひとのことを「星になった」と言うのだろう。どんなに手を伸ばしても届くことのかなわない、生と死とのはるかな距離ゆえか？

もちろん、それはあるだろう。僕自身、その解釈で、夜空に幾人かのたいせつなひとの面影を思い浮かべてきた。お話の書き手の端くれとしても、ずいぶん陳腐なクリシエだとは承知しながら、そういう場面を書いたこともあった。

だが、本書を読んで気づいた。教えられた。亡くなったひとが「星になる」のは、ただ遠くへ行ってしまうということだけを意味しているのではない。

星は変わらない。たとえ四季おりおりに夜空の中での配置を変え、夕暮れから夜明けまでの間に東から西へ弧を描いて流れてはいても、また夜が訪れ、あるいは季節がひとめぐりすると、星は変わらずそこに光っている。

亡くなったひとも、同じではないか。

たとえば二十歳で世を去ったひとの面影は、何年たとうとも二十歳のままである。僕たちが見上げる星の光が何光年も前のものであるように、亡くなったひとと生きているひととは、「いま」を分かち合うことができない。その意味で、「亡くなったあとも記憶の中で生きつづける」という言い方は、正しくはあっても正確ではない。記憶の中でのみ生きているひとは、歳《とし》をとらない。変わらないのだ。

一方、生きているひとは歳をとる。少年や少女はおとなになるし、おとなだったひとは老いていく。「いま」は絶えず上書き更新される。そして、亡くなったひとと分かち合っていた「いま」は、やがて「あの頃」へと呼び名を変えていくだろう。

たいせつなひとと過ごした「あの頃」のことは、決して忘れ去ったりはしない。だが、生きているひとは、永遠に「あの頃」にとどまっているわけにはいかない。

「いま」と「あの頃」が少しずつ離れていくのは、悲しいことなのか、それとも幸せなことなのか――。

本書を読みながら、ずっと考えていた。

橋本紡さんがその答えを示してくださったラストシーンに至って、大きくうなずいた。

もちろん、その首肯は、納得という理に落ちたものではない。わかるわかる、という浅い同意でもない。そもそもここで僕のつかった「答え」という言葉は、断じて「解答」や「正解」という閉じたものではなく、もっと広がりがあって、もっと深く、さらに気高く……非才な解説子が最後にごにょごにょとごまかすしかない、その感覚、すでに作品をお読みになった方にはきっとわかっていただけるはずだし、そういう読者の支持があってこそ、本書は単行本版の頃から版を重ねてきたはずなのだ。

不慮の事故で恋人の加地をうしなったわたし——奈緒子《なおこ》と、加地の友人で、彼と彼女を結びつけるキューピッド役でもあった僕——巧。

加地の死後ともに惹《ひ》かれ合う奈緒子と巧が交互に語るこの物語は、不在の一点を結んでかたちづくられる三角関係の恋愛小説であると同時に、加地のいた「あの頃」と彼のいない「いま」が対峙《たいじ》する、喪失と再生の物語でもある。

率直に（そしていささか無礼に）言ってしまえば、たったいま書きつけた登場人物の相関だけをとると、もしかしたら、僕自身がそうだったように、いくつかの先行作品が容易に思い浮かんでしまうかもしれない。俗な言い方をすれば「恋人の親友／親友の恋人」モノの恋物語は、小説はもとより、マンガや映画その他もろもろで繰り返し描かれてきた。ある種の定型だとも言えるだろう。

しかし、橋本紡さんは、その定型をトレースしながら、伸びやかな逸脱も試みる。「いま」と「あの頃」は単純に向き合っているのではない。「いま」も「あの頃」も、二つの視点で語られることで、「奈緒子のいま／巧のいま」「奈緒子のあの頃／巧のあの頃」と重層化される。二人のまなざしがぴたりと重なり合う箇所《かしょ》もあれば、微妙にずれる箇所もある。それが物語を立体的にして、端正な文章で綴《つづ》られた物語に心地よい揺らぎを与えるのだ。

三角関係の構図じたいもそうだ。三角形は、言うまでもなく閉じた図形である。しかも、そのうち一つの角をなす加地は、すでに死んでいて、なにも語らない。喪失の悲しみも、再生のための葛藤《かっとう》も、背負うのは奈緒子と巧だけなのである。閉ざされた世界の中で、不在の人物をめぐって二人の男女が苦しむ……いかにも息の詰まりそうな話ではないか。

だが、橋本さんはその三角形の外側にもドラマをつくる。加地にとっての「最後のいま」をめぐる、そして、彼と奈緒子とをつなぐ三角形の一辺を断ち切りかねない重い事実を、物語に放り込む。その事実は、物語の最後の最後まで落ち着き先を与えられない。橋本さんは（おそらくこの事実をふくらませていきたいという物語の誘惑を感じながらも）、加地を徹底して「いま」に不在の存在として、描かずして描ききろうとする。そこに、定型には決して安住すまいという作家の強い意志を見るのは、僕だけではないはずだ。

三角形の外側のドラマは、もう一つ。こちらは奈緒子の外側で接するドラマだ。父親が出てくる。五十一歳。世代も違えば背負っているものも違う。奈緒子と巧の内面に積極的に立ち入ってくるわけではないし、筆を割かれた場面も、振り返ってみるとさほど多くはないのだが、この父親の存在が物語に絶妙の風穴を開けている。おまけに父親自身、喪失と再生の物語を生きているとなれば——なんのことはない、定型だのなんだのが気になるのは最初の人物紹介のところだけだったじゃないか、とも気づかされるのだ。

もっとも、ここまで書いておいて（読んでいただいておいて）言いだすのもナンなのだが、僕は恋愛小説のよい読み手ではない。むろん、よい書き手でもない。ページをめくりながら背中にこそばゆさを感じ、妙に照れてしまって（なんでだ？）、「まあいいんじゃないの、若いひとの青春なんだし」程度の感想しか浮かばずに、読了した本を早々に閉じてしまうオヤジである。

そんな僕が、橋本紡さんの作品を読み終えたときには、本を開いたまましばらく動けずにいる。胸に甘酸《あまず》っぱさが湧《わ》いてくることはしばしばでも、決して背中がこそばゆくなったりはしない。

なぜか。おそらく、僕は橋本さんの作品を「恋愛（だけの）小説」としては読んでいないのだろう。

橋本さんはずっと「歩きだす瞬間」を描きつづけている作家だと、僕は思うのだ。歩きつづける途中の姿ではない。いったん立ち止まってしまい、時には打ちひしがれて倒れ込んでしまいながらも、立ち上がって、前を向いて、再び歩きだす、その一歩を踏み出す瞬間を――。

言い換えれば、それは終わりと始まり、喪失と再生を描くことでもある。

橋本さんの作品に恋愛の要素がきわだつのは、宮台真司さんの言葉を借りれば「終わりなき日常」の中、一つの終わりと次の始まりをなによりもビビッドに感じさせるものは恋愛にほかならないから、ではないのか。乱暴を承知で言えば、恋愛とは橋本作品にとって確かに大きなモティーフではあっても、それをさらに包み込む、もう一回り大きなモティーフもあるのだと思えてならないのだ。「恋する／愛すること」をも包み込んでしまえるものは、もしかしたら、たった一つ――「生きること」しかないのかもしれない。

〈死という名の絶対性を獲得した加地には、どんな攻撃だって通じないのだ。僕が放ったパンチは、なぜか僕自身の顔に当たる。ムキになればなるほど、自分が傷つくばかり。先に倒れるのは、必ず僕の方だった〉——記憶に刻まれた「あの頃」の残像に苦しめられる巧は、どうやって「いま」の一歩を踏み出していくのか。

〈彼と過ごした日々の記憶があまりにも美しく、そして過ぎゆく時間と共にますます澄んでいくものだから、わたしは加地君をそのままきれいな場所に置いておきたかった。加地君の姿も、思いも、純粋さも、届かぬ星の光のように輝き続けて欲しかったのだ〉——だが、「生きること」は「知らなかったことを知ること」でもある。奈緒子は加地にまつわる小さな事実を知ってしまった「いま」を、どう受《う》け容《い》れて、自分自身の「いま」の一歩をどう踏み出していくのか。

その問いかけは、本書だけのものではない。

歩きだす瞬間とは、生きることを肯定する瞬間でもある。

橋本さんの作品から僕がいつも受け取っているものは、生の讃歌《さんか》だ。それも声高らかに朗々と謳《うた》いあげるのではなく、静かに、ささやくように、けれど確かに胸に響く、祈りにも似た歌声なのだ。

そして、揺れ動く「いま」――生きているからこそその「いま」と対置されるかたちで、橋本さんの作品の登場人物たちは、しばしば空を見上げる。『彩乃ちゃんのお告げ』では夜空に打ち上げられる花火が描かれ、『ひかりをすくう』では飛行機雲が描かれる。『空色ヒッチハイカー』の僕と杏子は星座を探し、『猫泥棒と木曜日のキッチン』の家族は夕陽に照らされて、長い影を伸ばす。『九つの、物語』のラストシーンはビルのてっぺんでまたたく赤色灯で彩《いろど》られ、そうだ、忘れてはならない、『半分の月がのぼる空』の長い物語は、冬の南天に輝くシリウスの光から語り起こされるのだった。

空を見上げるのは、祈りだ。傷つき、苦しんできたひとたち――永遠を生きることがかなわないからこそ愛おしい生を生きるひとたちが捧《ささ》げる、歩きだすための祈りだ。

ひとは繰り返し空を見上げ、繰り返し祈りつづける。

それに応《こた》えるかのように、夜空は流れ星を僕たちに見せてくれる。

ときどき、流れ星は一冊の書物に姿を変える。

僕は、橋本さんの小説を、そんなふうに読んでいる。

（平成二十年五月、作家）

この作品は平成十八年二月新潮社より刊行された。

流《なが》れ星《ぼし》が消《き》えないうちに

新潮文庫　は - 43 - 1

平成二十年七月一日発行
平成二十七年六月五日二十一刷

著者　橋《はし》本《もと》紡《つむぐ》

発行者　佐藤隆信

発行所　株式会社新潮社

郵便番号　一六二―八七一一
東京都新宿区矢来町七一
電話　編集部(〇三)三二六六―五四四〇
　　　読者係(〇三)三二六六―五一一一
http://www.shinchosha.co.jp

価格はカバーに表示してあります。

乱丁・落丁本は、ご面倒ですが小社読者係宛ご送付ください。送料小社負担にてお取替えいたします。

印刷・錦明印刷株式会社　製本・錦明印刷株式会社

ISBN978-4-10-135181-0 C0193